Invitation
aux voyages

Gilbert Lantheaume

l'école des loisirs
11, rue de Sèvres, Paris 6ᵉ

« *Voyager, c'est avant tout réviser ses notions scolaires.* »

Pierre et Renée Gosset
(cf. Terrifiante Asie.)

Avertissement

1956, ... Sa Majesté Mahendra, roi du Népal, se demandait bien pourquoi les étrangers s'intéressaient soudain à son pays : ce pays était si lointain ! Ne consentirait-il pas à ouvrir les portes de sa capitale aux touristes, lui demandait la célèbre agence Cook : un groupe de veuves américaines désirait visiter Katmandu ?
Malgré sa surprise, Sa Majesté Mahendra accepta. Mais, monarque absolu, il n'accorda l'autorisation qu'à titre exceptionnel.
L'expédition au Népal fut dirigée par un étrange personnage, un certain Boris. Cet ex-danseur et grand chasseur de fauves avait le sens de l'organisation. La charmante troupe des veuves américaines fut précédée par une caravane de trois cents coolies. Chargés de baignoires, de bidets, de chasses d'eau, ils franchirent les passes de l'Himalaya, apportant à Katmandu les premiers éléments du confort.
Le premier hôtel de la capitale fut ouvert dans un palais. Le roi vint, en personne, accueillir « ses premiers touristes ». Il était fort sceptique. L'enthousiasme débordant de ces dames, d'âge respectable pourtant (toutes avaient les cheveux gris), causa une grande surprise au souverain.
Aussi sa Majesté ordonna-t-elle d'admettre désormais au Népal, et sur simple demande, tous les étrangers.
Tous les pays s'ouvrent aujourd'hui aux touristes. Et ces

touristes sont de plus en plus nombreux chaque année. Ceux qui voyagent peuvent être aussi bien des clients d'agences de tourisme que des amateurs d'insolite ou des aventuriers en quête d'une aide substantielle pour atteindre leur but. C'est à eux que s'adresse ce livre. Il peut également intéresser les volontaires de chantiers de travail ou ceux qui désirent participer à des rencontres internationales.

A la fin de chaque chapitre, ils trouveront une fiche d'information leur donnant des renseignements pratiques et techniques. Nous avons, par contre, cité dans le texte les principaux organismes et les principales associations avec lesquelles ils auront intérêt à prendre contact.

Mais, afin de permettre au lecteur de s'y retrouver aisément, nous avons classé par ordre alphabétique, à la fin de l'ouvrage, tous ces groupements, en indiquant leur adresse.

Bien entendu, nous avons dressé cette liste sans avoir la prétention d'être complet. C'eût été impossible dans un domaine aussi vaste. Et nous l'avons établie en dehors de tout souci de publicité.

Nous avons fait de même pour toutes les publications citées dans le texte : elles ont été classées par ordre alphabétique, à la fin de cet ouvrage.

I. 1950-2000, la grande ruée

1. L'invasion du nombre

En France, l'année 1936 a vu la création d'un congé payé de deux semaines au profit de tous les travailleurs. Certes, l'été de 1936 a été suivi d'étés terribles, mais l'élan était donné. Depuis le retour de la paix le mouvement reste irréversible.

Le pourcentage des Français partant en vacances va croissant et l'on prévoit qu'il augmentera encore dans les années à venir.

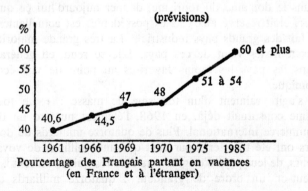

Pourcentage des Français partant en vacances
(en France et à l'étranger)

Si, en 1968, près de vingt-deux millions de Français ont eu l'âme vagabonde, la proportion des départs varie beaucoup. Elle diffère d'abord d'une classe sociale à l'autre. Les cadres supérieurs partent presque tous (90 %). Les ouvriers ne représentent que 50 % de ceux qui prennent des vacances. La part des exploitants agricoles (10 %) et surtout celle des gens âgés est encore moindre.

Les jeunes tiennent, au contraire, une place considérable parmi ceux qui changent d'horizon. L'Institut national de la statistique les range en deux classes d'âge :

14-24 ans
25-29 ans

(ce qui permet de rester jeune jusqu'à 29 ans !).

Cet organisme officiel et fort sérieux nous apprend que, de 1961 à 1966 :
— le taux des départs pour cette première tranche n'a pas varié (45,5 %),
— alors que, pour celle des jeunes ayant de 25 à 29 ans, il a augmenté, passant de 41,2 % à 51,7 %.

2. Le tourisme de masse

Dans le domaine du tourisme, donner aujourd'hui ce qui, hier, était réservé aux classes possédantes est actuellement le fait des grands pays industriels. La très grande majorité des touristes vient de ces pays. Elle se rend, en général, dans les pays les moins favorisés au point de vue économique.

Il s'agit vraiment d'un tourisme de masse : « Le tourisme constituait déjà, en 1968, l'élément numéro un du commerce international. Plus de quatorze milliards de dollars ont été transférés par cent quarante millions de voyageurs, de leur pays d'origine vers d'autres qui les attirent [1]. »

Veut-on un ordre de grandeur : quatorze milliards de

---

1. Extrait d'un rapport de M. Haulot, ancien président de l'*U.I.O.O.T.*, *World Travel*, n° 90.

dollars, c'était, en 1968-1969, la valeur approximative de la production mondiale, annuelle et réunie, du minerai de fer, de cuivre, de plomb et de bauxite !

Cent quarante millions de voyageurs, c'est également un chiffre énorme. Mais il ne faut pas perdre de vue que le nombre de touristes augmente par millions chaque année : dix millions de plus, dans le monde entier, de 1968 à 1969.

II. N'attendez plus, partez !

1. La conjugaison du verbe attendre

Partir : rien de plus facile ! Une demande de documentation pour un voyage de rêve, une réservation, un chèque à l'agence et voilà résolu un voyage de l'autre côté de la planète.

Pour beaucoup, moins fortunés que d'autres, mais peut-être aussi plus inspirés, est-ce aussi facile de se décider à partir seul ou avec un groupe de camarades ?

Les prétextes pour différer le départ ne manquent pas. Et ainsi l'on conjugue le verbe « attendre » à tous les temps et à tous les modes :

Le non-réaliste attend d'avoir beaucoup d'argent... une Land-Rover et... une caméra seize millimètres.

L'inquiet serait bien parti, mais il préfère attendre une documentation plus complète. Elle lui paraît toujours insuffisante.

Le timoré attendra encore quelques années. Il se sentira alors plus sûr de lui, et ses parents lui donneront, sans hésiter, leur consentement.

2. Que faut-il pour partir ?

« En fait, pour partir, il suffit seulement de le vouloir vraiment, d'en prendre la décision. De saisir l'occasion aussi.

« Pour moi, souhaitant changer de situation alors que je cherchais un nouvel emploi, je me suis dit que c'était l'occasion unique pour réaliser un rêve, que je caressais depuis cinq ou six ans : aller en Amérique du Sud [1]. »

Non seulement, l'auteur de ces lignes, Mlle Chantal Barre, a réalisé son rêve, mais elle a fait ensuite le tour du monde. Elle a mis deux ans et a dépensé vingt-cinq francs par jour : « Mon père, lui-même, m'a suggéré de faire un tour du monde complet espérant que mes souhaits assouvis, je serais moins tentée de repartir. Il ne prévoyait pas une si longue absence [2]... »

Mais les parents ne sont pas toujours aussi compréhensifs : « Quand je leur ai annoncé mon désir de partir en vélo au Moyen-Orient avec un camarade, ils ont trouvé l'idée très bizarre. Ils ont " essayé " de ne pas y croire. Quelque temps après, ils passaient à la dissuasion... Mais, au fond, je crois que mes parents, comme la plupart des parents, comprennent la nécessité des voyages [3]. »

Quelquefois, mais plus rarement, des parents « tout à fait dans le vent » partent avec leurs enfants. En 1969, la famille Peyrebrune, de Lyon, entreprend le tour du monde en voilier. Et le père d'expliquer : « Dites bien que ce n'est pas un exploit. C'est avant tout un test familial. Ce que nous voulons prouver ? Mais rien du tout... Nous recherchons la tranquillité et la simplicité qu'on ne peut plus retrouver dans les villes... Je pense que ce voyage permettra aux enfants les plus jeunes de se regrouper pour prendre un excellent départ dans la vie par la suite [4]... »

1 et 2. Extraits d'une interview accordée par Chantal Barre au journal *Le Cid*, n° 8 (septembre 1969) : « Le Tour du monde pour vingt-cinq francs par jour. »
3. *Un an au jour le jour*, de l'auteur (récit non publié).
4. Article du *Dauphiné Libéré* du 8 août 1969.

3. L'esprit d'équipe

Les scolaires et les étudiants peuvent profiter de longues vacances. Les jeunes au travail ne disposent que d'un mois pour quitter leurs habitudes. Malgré la brièveté de leur congé, ils réussissent à partir. Mais il leur faut presque toujours résoudre des problèmes épineux : « Quelque temps avant de partir en Turquie, nous décidons un viticulteur de la coopérative à nous accompagner (nous avons 16 ou 17 ans, et désirons un adulte compréhensif... et un chauffeur). Mais, étant donné la période tardive de l'été, il n'a droit qu'à trois semaines de congé en cette saison. Après discussion et accord avec la coopérative, il obtint la possibilité de partir un mois complet... Mais notre groupe accepte alors de rattraper au retour les heures de congés supplémentaires et surtout le travail urgent en retard [1]. »

4. La disponibilité

Une évolution se dessine parmi ceux qui partent seuls :
Voyageurs de 14 à 29 ans s'organisant seuls pour partir (20 % environ du total)

	1960	1970	1980-1990
— Filles	env. 25 %	34 %	50 % et plus
— Garçons ..	env. 75 %	66 %	50 % et moins

On le voit, les « demoiselles » se montrent de plus en plus téméraires, les « jeunes messieurs » moins audacieux.

1. Relation de voyage du Comité des Jeunes de Vercheny (Drôme).

5. Un programme à soi

Pour partir, il faut encore avoir « un programme à soi ».
Mais, dans le domaine des voyages, comme dans tous les
domaines, il y a des exceptions.

Le mal du pays ou les cinq sous de Lavarède.

Quand les journaux titrent « Charles, quatorze ans, est
venu d'Australie à Paris avec dix pence en poche », il vaut
mieux aller au fond des choses. Ce n'est pas par hasard
que ce nouveau Lavarède a changé subitement d'hémi-
sphère !
Ayant quitté la France depuis un an avec sa famille,
Charles avait le mal du pays. Un jour l'idée lui vint de
rejoindre l'un de ses oncles, à Paris. Charles a essayé une
première fois, mais il s'est trompé d'avion. Il a atterri dans
une autre ville d'Australie. Charles est, alors, retourné
sagement chez papa et maman. Ceux-ci l'ont bien un peu
grondé, mais ils étaient surtout heureux de voir leur fils
rentrer au bercail. Pas pour longtemps, car Charles a renou-
velé sa tentative peu après. Pour tromper la surveillance
lors de l'embarquement, il a repris le stratagème qui lui a
si bien réussi la première fois. Il a laissé passer plusieurs
familles, puis il a crié d'un air affolé : « Papa, papa,
attends-moi ! » On l'a laissé monter dans l'avion. Une fois à
bord, ce n'était plus qu'un jeu : « On ne m'a rien
demandé. J'étais en première classe. J'ai mangé du saumon
avec des olives autour de l'assiette. J'ai vu trois films. » A
chaque escale, pour donner le change, Charles est descendu.
Il a fait un tour aux boutiques de l'aéroport, mais bien sûr,
il n'a rien acheté. A Orly, son appel « Papa, papa,
attends-moi » a de nouveau fait merveille. Charles a gagné
Paris en auto-stop. Une dame charitable lui a donné un
ticket de métro. Son oncle a été quelque peu surpris de

le revoir. Mais, bien entendu, il a demandé à son neveu d'écrire tout de suite à sa famille pour la rassurer.

Du Nigéria au Brésil, sur les traces des Yourbas.

Trois lycéens de Grenoble décident un jour de faire le tour du monde à bord d'un voilier pendant cinq ans. Quelques années plus tard, leur rêve devient réalité. Ils ont travaillé dur, économisé encore plus ; ils disposent enfin du bateau qui les emmènera vers l'aventure. Mais maintenant leur programme est plus limité : une étude ethnologique sur les descendants des Yourbas. Cette peuplade, qui vit au Nigéria, a été décimée à partir du xvi⁰ siècle par la traite des noirs. Mais ses fils exilés au Nouveau Monde, où ils étaient esclaves, ont gardé leurs coutumes, tant au Brésil que dans l'île d'Haïti.

La réalité quotidienne : un an au jour le jour.

Deux amis quittent la France, en bicyclette, un jour de septembre 1963. Ils partent pour un an, simplement pour voir « comment on vit ailleurs ». En quinze jours ils traversent l'Italie, gagnant Ancône. Des agriculteurs de la plaine du Pô les ont hébergés les premiers jours, puis ils ont trouvé asile dans des paroisses ouvrières, comme à Mestre, près de Venise.

Passés ensuite en Grèce, les deux amis travaillent sur un chantier du *Service civil international,* dans un hôpital psychiatrique, situé aux environs d'Athènes. Leur vie était pénible, mais le soir, l'on se retrouvait chez un ami pour les cours de grec.

Ils ont ensuite visité la Crète, marchant beaucoup durant quinze jours, rencontrant des agriculteurs, des bergers. Ils ont fait la connaissance de spéléologues grecs. Avec eux, ils ont projeté de réaliser des recherches hydrogéologiques, l'été suivant. Remontant vers le nord, les deux amis ont parcouru à pied la région du mont Athos, véritable état religieux où les monastères sont interdits aux femmes.

A Istanbul, où ils sont restés un mois, l'un d'eux a été opéré d'un abcès fort grave à l'Ecole de chirurgie dentaire. Cet incident leur a donné l'occasion de se faire de nouveaux amis, étudiants comme eux. Visitant longuement la Faculté de géologie, ils ont pris contact avec divers géologues.

Vaincus par le froid, ils sont descendus vers Israël. Ils y ont travaillé dans un kibboutz et ont passé quelques semaines dans les mines de cuivre de Timna. On embauche toujours très facilement ceux qui arrivent dans ce coin perdu du désert du Néguev, près de la mer Rouge.

Avec le printemps, ils repassent en Turquie. Des géologues et directeurs de mines leur font visiter tout le territoire turc, jusqu'aux mines de cuivre de Mourguoul (Murgul), aux confins de la frontière soviétique.

Le mois de juillet suivant les voit en Iran. Ce sera pour eux une expérience. Ils ne mangeront pas tous les jours à leur faim comme la plupart des habitants de ce pays.

Au 15 août, ils sont de retour à Athènes, où ils sont accueillis par leurs amis spéléologues. Ils participent avec eux à un camp franco-hellénique dans l'île de Crète. Ensemble, ils rechercheront de l'eau douce.

La France les revoit un an et un jour après leur départ.

Une jeune fille seule autour du monde.

Bien souvent les globe-trotters sont des garçons. Mais il arrive que des filles acceptent de partir. L'une d'elles a voulu prouver — et se prouver d'abord à elle-même — qu'une fille pouvait réussir un tour du monde. Tout autant qu'un garçon ! Et le réussir seule.

Nous avons déjà cité son nom : Chantal Barre. C'est une documentaliste. Elle a moins de trente ans. Elle parle l'anglais, l'allemand, l'espagnol et le russe. Chantal Barre s'adapte ; elle s'habille, elle voyage comme les gens du pays où elle se trouve. Aussi réussit-elle à s'intégrer à une famille dans presque tous les pays qu'elle traverse. Ses itinéraires, nous dit-elle, sont établis en fonction des fêtes religieuses de la semaine suivante. Elle observe ce qu'elle a sous les yeux, regardant les gens vivre, s'occuper de leurs enfants, cultiver leurs champs, faire la cuisine... Elle ne manque pas un musée, un site touristique.

Chantal Barre s'intéresse principalement à la condition de la femme dans le monde et à son adaptation aux conditions de la vie moderne.

Pour elle l'avantage essentiel de voyager seule c'est d'aller à sa guise. « Si une ville me plaît, j'y reste. Si je suis fatiguée, je me repose autant que je le souhaite. Je fais des crochets à volonté en fonction de mon humeur et des avis qui me sont donnés par les gens du cru. Je peux étudier ce qui m'intéresse le plus, en détail. A chaque instant, je décide de ce que j'ai envie de faire et c'est merveilleux[1]. »

Pour effectuer de tels voyages, il faut surtout avoir une grande faculté d'adaptation, le goût d'un certain risque, accepter l'inconfort et la promiscuité, le dépaysement permanent, une alimentation déséquilibrée...

1. Extrait de l'interview accordée par Chantal Barre au journal *Le Cid*, n° 8, septembre 1969 : « Le tour du monde pour vingt-cinq francs par jour. »

Fiche d'informations

Vous êtes intéressé par les problèmes du tourisme, au niveau national, ou international (analyse, synthèse, statistiques, programmes, etc.), consultez les revues suivantes :

— « **World Travel** » (versions en anglais, espagnol, français), publié par l'**Union Internationale des Organismes Officiels de Tourisme.**

— « **Tourisme Service Information** », publié par la **Fédération Nationale des Syndicats d'Initiatives et Offices du Tourisme.**

Vous êtes plus spécialement attiré par les voyages d'exploration, consultez :

— « Cahier des Explorateurs », bulletin de la **Société des explorateurs et des voyageurs français.**

III. Client d'agence ou voyageur indépendant !

1. Le touriste de base

Jamais autant qu'aujourd'hui, la presse, la radio, la télévision n'ont déployé autant d'efforts pour amener le grand public à une appréciation exacte de la valeur miraculeuse des vacances et du tourisme. Il en est de même des offices nationaux, des associations de tourisme, des mouvements de jeunesse...

Mais que font donc en France ces dix mille individus armés de sourires, de dépliants, de prospectus et d'affiches ?...

Les agences de tourisme, les organisateurs de voyages ont très vite mesuré le besoin d'évasion des jeunes mais aussi des adultes. Ils ont très vite compris quel colossal marché représentaient ces affamés de soleil, de mer, d'exotisme, de grands espaces et peut-être aussi de silence.

Cette troupe de choc s'occupe de près de vingt millions de Français qui ont l'âme vagabonde. En a-t-elle convaincu plusieurs millions à préférer aux vacances d'autrefois, les nouvelles vacances « voyages-loisirs » sur mesure ?

Il semble bien que oui.

Ces « gentils organisateurs » leur ont dit : « Vous connaissez l'enfer des villes, mais si vous saviez ce que l'on nous prépare comme enfer de vacances ! Vous serez — demain et non après-demain — 360 et plus dans le même avion.

Et ces 360 et plus débarqueront dans les grands ensembles de vacances - bord de mer.

« C'est la dernière chance pour les organisations micro-cosmiques comme la nôtre, de vous faire vivre encore des vacances à visage humain... Faites vite ! C'est aussi votre dernière chance. Ces vacances n'auront plus de prix ! »

Plus de 50 % des touristes, après avoir trépigné d'impatience, abandonnent leur sort aux marchands de soleil. Le succès des « séjours-voyages » a dépassé — tant en France qu'à l'étranger — ce que prévoyaient les promoteurs les plus optimistes de ces « vacances inspirées ».

2. Nourris, logés, bronzés

La formule du « village-club, de l'hôtel-club, du circuit-club », contrairement à ce qu'on pourrait croire, n'attire pas seulement les P.D.G. quinquagénaires, les 18-20 ans s'y sentent très à l'aise.

Il faut le reconnaître, les « toujours nouveaux » organisateurs ont pensé à tout. Ils le disent dans leurs brochures d'un luxe évocateur :

— « Votre porte-monnaie ?... N'y touchez plus pendant vos vacances. Dans nos tarifs, tout est compris : vos consommations au bar du club, les séances de ski nautique, les circuits-découvertes, etc. »

— « La nourriture ?... Ne vous faites aucun souci, elle vous convient parfaitement. Vous pouvez même choisir entre la cuisine familiale et les spécialités du pays ! »

— « L'ambiance ?... Nous ne pensons qu'à ça. Laissez-vous emmener et vous verrez. Dans nos « villages de la paresse », on fait ce qu'on a envie de faire. Si vous êtes un oisif-actif, vous pratiquerez l'équitation, la pêche sous-marine ou, plus simplement, vous irez en excursion. Etes-vous plus contemplatif, il y a le soleil, la mer... et les Tahitiennes ! »

— « Vos enfants ?... Aucun problème. Pour eux, il y a le mini-club avec des maxi-organisateurs. »

« Plus de soucis, vos vacances vont enfin compter double. Vous vivrez alors vos premières " bi-vacances ". »

« Double illusion qu'on obtient en payant très cher sa tranche de vacances », disent les uns, « Retour au calme et à l'insouciance », répondent les autres.

3. Voir toujours du nouveau !

Si une certaine clientèle recherche l'ambiance du village de vacances exotique, une autre préfère le dépaysement continuel. Les agences le savent. Elles organisent à son intention des croisières. Elles ont appris à connaître avec précision les goûts et les exigences de cette catégorie de voyageurs :

« Ce voyage ne peut être qu'un pèlerinage aux sources ensoleillées de notre civilisation, il doit représenter un repos, une détente, laisser aux loisirs sportifs ou mondains, à la rêverie, la place qui leur revient [1]. »

Il faut alors annoncer dans la publicité des noms qui ont l'odeur de la mer, du rhum, du citron... Il faut annoncer aussi le soleil. Eh oui ! le soleil doit être le compagnon fidèle du voyageur : 80 % des touristes l'exigent. C'est l'objectif n° 1 !

Il faut aussi trouver des escales aux noms évocateurs : Istanbul, Dakar, Aden, Caracas, Tahiti plaisent toujours !

4. Les escales du monde

Sur le bateau, le voyageur n'a pas de soucis puisque l'hôtel et le restaurant l'accompagnent. Il n'en est pas de même s'il quitte le bord aux escales.

---

1. Brochure *Vacances 2000*, année 1969.

Jadis — avant 1950 — une visite aux environs du port suffisait à faire oublier aux touristes qu'ils avaient débarqué le matin même. Les quelques privilégiés de cette époque disparaissaient engloutis dans la foule. Ils se retrouvaient, le soir, dans le salon du navire. Ils pouvaient raconter leurs émotions et leurs aventures.

Aujourd'hui, le flot montant des visiteurs vous portera droit au quartier pittoresque. Si d'aventure, vous vous en écartez, l'autochtone sera surpris. Il cherchera sans doute à vous reconduire, malgré vous, vers les lieux que vous « devrez avoir vus ».

Certains organisateurs de voyages savent très bien les déceptions qu'éprouve un nombre croissant de voyageurs à circuler et à découvrir dans de telles conditions. Aussi quelques-uns ont-ils avisé. Ils ont réparti « leurs » touristes en petits groupes aux escales. Des guides locaux, sympathiques et débrouillards les emmènent hors des sentiers battus. Il est parfois nécessaire pour cela de prendre un fiacre, un taxi ou un minibus. Mais il n'est plus nécessaire de discuter d'un forfait ; les organisateurs ont tout prévu.

Dès lors, l'approche du pays se réalise, loin des quartiers usés par les prises de vues. Le voyageur est alors sensible aux couleurs, aux odeurs, au rythme de vie...

5. Des voyages qui coûtent cher !

Les voyages supersoniques.

De règle dans les voyages d'affaires, l'habitude du rendement se répand peu à peu dans les voyages d'agrément : « L'Extrême-Orient en six jours, les Amériques en sept, le Tour du Monde en douze. » Aucune annonce n'étonne plus. Ce qui surprend, c'est l'intensité du programme : deux capitales par jour, quatre mille kilomètres en vingt-quatre heures !

Les amateurs de vitesse se lamentent : il n'est guère possible de visiter une ville à plus de quarante à l'heure, la visite de centres archéologiques, tel Angkor au Cambodge, nécessite plusieurs jours de marche. Il faut donc se résigner à prendre son temps ou à louer un petit avion de tourisme... Les agences et les organisateurs proposent des « voyages-aventures » à ceux qui ont mis quelques économies de côté. Par exemple « L'Afrique du Sud au volant d'une Alfa Roméo [1] ». Certes le programme est tentant : visites de villages bantous, traversées de réserves de serpents, parcours dans des zones désertiques. Ne craignez rien : le soir, vous dormirez en lieu sûr ; vous disposerez d'une douche, d'une moustiquaire. Bref... une aventure qui finit bien.

Affaire de goût, mais surtout de finances, malgré les baisses spectaculaires des tarifs. L'on vous offrira des safaris-papillon, des pistes de vision en République Centrafricaine, des safaris-photos au pied du Kilimandjaro, avec girafes au rendez-vous. On ne peut mentionner tous les « tours africains » tel le circuit Fort-Lamy - Fort-Foureau - Waza où un safari-photo à l'aube dans la réserve permet de voir l'éveil des antilopes, un vol de flamants roses, et d'assister à l'approche de troupeaux d'éléphants ou encore à une course poursuite avec un lion [2].

Inscrivez-vous sans tarder car le programme en vaut la peine ou bien attendez l'adoption de tarifs plus populaires !

6. A bas les clubs de vacances

Les propositions alléchantes des agences et des organisateurs de voyage prennent-elles peu à peu le relais des initiatives individuelles ? Cela semble vrai car, aujourd'hui, en France, à peine un peu plus d'un million de jeunes décident de partir seuls ou en petits groupes, chaque année. Cela semble vrai encore parce que, dans notre pays, 20 % seulement

1. Publicité parue dans le n° 11 de l'Action Automobile et Touristique (publiée par l'*Automobile Club de France*).
2. *Arce-France*.

des jeunes de 14 à 29 ans sont des « voyageurs indépendants ».

Les voyages sont-ils en train de devenir une « marchandise » comme une autre, qu'écoulent des producteurs et des détaillants spécialisés ?

Voilà ce que déplorent — avec bien d'autres — les jeunes de l'Association *Nouvelles frontières — Feu vert pour l'aventure* :

« M. Trigano nous promet le confort, la détente, le soleil, mais il nous ôte la liberté exaltante de créer nos vacances, de leur donner un ton personnel, de préférer le gîte inconnu qui nous attend le soir aux bungalows d'une plage de Tunisie que l'on ne quitte finalement plus[1] »... « Le faux luxe des clubs, ça se paie et les jeunes de *Nouvelles frontières,* dont plus de 50 % sont des travailleurs, ne veulent pas donner huit mille francs pour passer vingt et un jours au Japon, dont on ne leur fera voir qu'un folklore de pacotille[2]. »

A cela, les partisans des voyages organisés peuvent répondre : « L'aventure solitaire des vacances est trop semée de déconvenues. A cocher des cartes, à inscrire des itinéraires, le touriste isolé sera vite fatigué de jouer les officiers d'état-major. A l'étape où l'ont précédé des tournées de " collectifs ", le choix qui faisait le charme de la découverte est parfois plus que réduit, sinon nul. A l'étranger, sans guide et faute de parler la langue adéquate, il n'est pas toujours plaisant à la longue de se faire servir des haricots quand on demande un quart de beurre[3]. »

Ainsi l'alternative « Pour ou contre les voyages organisés » peut susciter une polémique interminable. Et s'il est décidé malgré tout à partir, il ne reste plus à chacun qu'à faire son choix.

1. Brochure d'informations de *Nouvelles Frontières — Feu Vert pour l'Aventure.*
2. Centre de préparation aux voyages de *Nouvelles Frontières — Feu Vert pour l'Aventure.*
3. Extrait d'un article paru dans le n° 7 du *Cid* (août 1969) : « En août, plus de dix millions de Français. »

Fiche d'informations

Voici quelques revues comportant des informations, des témoignages et expériences diverses sur les voyages à l'étranger et pouvant aider à préparer soi-même un voyage :

— « **L'Action Automobile et Touristique** », publiée par l'Automobile Club de France.

— Journal du « **Touring Club de France** ».

— « **Le Cid** » ; toujours au moins un article : fiche technique de voyage sur un pays, moyens économiques pour s'y rendre, y séjourner, etc.

— « **Bruxelles des Jeunes** », publié par Infor-Jeunes (spécialisé).

— « **Sciences et Voyages** » (spécialisé).

— « **Atlas** ».

— « **Terre des Jeunes** » (pour les enfants).

— « *Voyages* » : supplément gratuit de la « **Revue Economique l'Expansion** » (uniquement par abonnement).

— « **Education et Echange** ».

— « **Partir** », revue mensuelle ; nombreux renseignements pour ceux qui organisent leur voyage.

— « **Voyage Conseil** » ; catalogue remis gratuitement dans tous les bureaux de Voyage Conseil et ceux du Crédit Agricole.

Fiche d'informations

I — *Quelques belles brochures touristiques,* gratuites ou payantes, à faire rêver agréablement les ennemis les plus acharnés des voyages organisés :

- « **Air France** » : « Vacances aux quatre coins du monde » (consultable dans toutes les agences de voyages).
- « **Club Méditerranée** ».
- « **Vacances 2000** » (brochure disponible dans un grand nombre d'agences de voyages).

II — *Vous avez chez vous des animaux que vous ne désirez pas emmener avec vous en voyage :* poissons, canaris, boas, chiens, lapins, singes, etc. La plupart des agences de voyages proposent des adresses où vous pourrez confier ces animaux. Attention... c'est assez cher !

III — *Des guides techniques à consulter :*

a) *Pour des conseils pratiques :*

- « *Guide des vacances* » (aux **Editions Néret**), pratique, social, juridique.
- « **Travel Information Manual** », édité par Fred Van der Linden et publié par les compagnies d'aviation, ce manuel constamment tenu à jour, peut être consulté dans certaines agences, mais n'est pas vendu au public. Ce document peut être particulièrement recommandé à ceux qui partent pour un grand périple automobile du genre Alger-Le Cap. Renseignements à : **Standing Committee of the Travel Information Manual.**

b) *Pour des adresses* .
— « *Guide vacances à l'étranger pour les jeunes* »
(M. Alvarez), (**Editions Néret**).

c) *Pour une information touristique succincte sur chaque pays :*
— « **Information touristique le Monde** », aux Editions **Larousse**.
— « *Les belles vacances Sabena* », à la bibliothèque Marabout (toutes librairies).

IV — *Pour votre plaisir, voici quelques-unes des propositions de croisières* qui sont offertes au cours de la belle saison, par les entreprises de voyages :

a) *Croisières maritimes (plus d'une semaine), vers le sud :*
— « *Pentecôte en Méditerranée* », Turquie, Iles grecques, Rhodes (**Croisières Rodriguez Ely**).
— « *Mer Noire — Méditerranée orientale* » (**Croisières Rodriguez Ely**).
— « *Croisière Club* », Palma de Majorque, Tunis, Palerme (**Club Mer et Soleil**).
— « *Croisière des célibataires* », en Méditerranée, Grèce et Turquie. La croisière la plus animée de l'année, soirées costumées, dancing, gastronomie à la carte (6 repas par jour vin compris), concours, jeux, excursions, conférences (**Métropole Tours S.A.**)
— « *Croisière en Méditerranée* », jusqu'au Liban et Egypte (**Agences Maritimes Réunies**).
— « *La mer Noire* » (**Costa France**).
— « *Eté en Méditerranée* » (**Croisières Paquet**).
— « *La Méditerranée* » (**Hellenic Mediterranean Lines**).
— « *Printemps-été en Méditerranée* » (**Ruys et Co**).
— « *Festival de la Méditerranée* » (**Estrine et Co**).
— « *Voyage croisière* » (**Transport & Voyages**).

b) *Croisières maritimes (plus d'une semaine), vers le nord :*
— « *Pays du Nord* », latitude nord, longitude est (**Croisières Rodriguez Ely**).
— « *Norvège, Danemark, Cap Nord* » (**Transtours**).
— « *Soleil de minuit* », Spitzberg, Cap Nord, Baltique (**Croisières Paquet**).
— « *Les Fjords norvégiens* » (**Costa France**).
— « *Les capitales nordiques* » (**Costa France**).
— « *Le Spitzberg, par le Caboteur arctique* » (**Voyages Bennett**).
— « *Cabotage et Fjords norvégiens* » (**Voyages Bennett**).
— « *Les Ports du Nord* » (**Messageries Maritimes**).

c) *Croisières maritimes (plus d'une semaine), vers l'Atlantique :*
— « *Tour du Monde* » (**Agences Maritimes Réunies**).
— « *Amérique du Sud* » (**Messageries Maritimes**).
— « *Vacances Transatlantiques* », chassez la mélancolie (**Cie Générale Transatlantique**).
— « *Autour de l'Europe* » (**Transtours**).
— « *Açores, Canaries, Madère* » (**Transtours**).

d) *Mini-croisières maritimes (en général moins d'une semaine) :*
— « *Week-end de Cannes au Havre (avec escale à Lisbonne)* » (**Cie Générale Transatlantique**).
— « *Périple Ibérique* » (**Croisières Rodriguez Ely**).
— « *Les Iles grecques* », à bord du Romantica ! (**Chandris Cruises**).
— « *Marseille, Cadiz, Le Havre* » (**Transtours**).
— « *Le Havre, Malaga, Palma* » (**Transtours**).
— « *Croisière séjour* », Espagne, Tunisie, Malte (**Voyages Lasry**).

— « *La Hollande* » (**Sotramat Voyages**).

— « *Le Rhin romantique* » (**Sotramat Voyages**).

— « *Le Danube* » (**Transtours**).

— « *Croisière dans les Fjords* » (**Nordisk Voyages**).

— « *Iles grecques et Turquie* » (**Le Voyage en Grèce**).

e) *Voyages aériens :*

— « *Japon* » (**Japan Air Lines**).

— « *Ethiopie, la chrétienté au cœur de l'Afrique* » (**Voyages Acto**).

— « *Tour du Monde, par les Iles françaises du Pacifique* » (**Voyages Acto**).

— « *Ceylan* » (**Voyages Kuoni**).

— « *Scandinavie — Cap Nord* » (**Voyages Kuoni**).

— « *Le Canada, itinéraire québécois* » (**Vacances 2000**).

— « *Les Canaries* » (**Hotelplan**).

— « *La Costa Del Sol* » (**Hotelplan**).

— « *L'Islande* » (**Nordisk Voyages**).

— « *Le Maroc* » *(en voiture sans chauffeur),* (**Royal Air Maroc**).

— « *La Tunisie* » (**Jet Tours**).

N.B. : La liste n'est pas limitative, aussi consultez éventuellement une agence, ou contactez directement un des organismes commerciaux, ou associations (à but non lucratif), ci-après :

f) Pour les :

— *Voyages-croisières et circuits,*

— *Séjours organisés où sont proposées des activités sportives ou touristiques,*

— *Séjours libres ;*

— **A.R.O.E.V.E.N.**

— **Bureau des Voyages de la Jeunesse**

— **Esto**
— **Arce France**
— **Nouvelles Frontières — Feu Vert pour l'Aventure**
— **O.C.C.A.J.**
— **Touring Club de France**
— **Fédération Unie des Auberges de la Jeunesse**
— **Maison Européenne de la Jeunesse**
— **O.T.U.S. (Office du Tourisme Universitaire et Scolaire)**
— **Amitiés de France**
— **Rencontres de Jeunes**
— **Ligue Française de l'Enseignement U.F.O.V.A.L.**
— **Comité d'Accueil Art et Vie.**

V — *Vous voulez avoir quelques émotions :*

- Chantiers archéologiques en Afghanistan :
  — « **Nouvelles Frontières — Feu Vert pour l'Aventure** ».

- Expédition automobile en Scandinavie :
  — « **Payscope** ».

- L'Afrique du Sud en Alfa Roméo :
  — « **Voyages Acto** ».

- Descente des rapides Hozu :
  — « **Office National du Tourisme Japonais en France** ».

- Descente du Chari et safari-photos chez les fauves :
  — « **Arce France** ».

VI — *Vous êtes en très bonne condition physique et vous voulez connaître l'ambiance des expéditions :*

— « **Club alpin français** ». Il vous proposera peut-être des voyages-expéditions. Il vous indiquera la liste des guides que vous pourrez contacter pour des voyages-expéditions.

— « **Arce France** » : expéditions pédestres en Laponie suédoise.

— « **Encounter Overland** » : voyage en véhicule tous terrains Londres-Le Cap (Captown), groupe mixte de 15 à 20 personnes, prévoir plusieurs mois de disponibilité.

— « **Office du Tourisme de l'Algérie** » :
  - Voyage « Transafric », traversée du Sahara en Land Rover, par Djanet et L'Aïr.
  - Voyage « Sahara-tour », Alger-Tamanrasset en Méhari-Citroën.

IV. S'organiser soi-même

1. Rêverie sur un thème donné

Envoûté par l'idée du départ, le candidat au voyage est saisi par la rage d'écrire. Il va écrire partout : aux agences, aux offices nationaux du tourisme, aux ambassades...
Quelques jours plus tard, sa boîte aux lettres devient trop petite. L'Office du tourisme brésilien vient de répondre. Quelle magnificence : les photos de la revue nationale *Manchete* séduiraient les plus blasés. Il ne lui reste qu'à rêver sur le thème : Rio, the marvellous city !
Habitués depuis quelques années déjà aux demandes de renseignements, Tunisiens, Grecs et Israéliens offrent aussi leurs secrets de « Vacances heureuses ». Leurs envois sont discrets mais restent importants. De tous jaillit toujours un soleil méditerranéen. Mais ce soleil n'est jamais semblable à celui des voisins.
La Tunisie offre ceux d'Hammamet, de Djerba, de Tozeur ; la Grèce, celui du Dodécanèse. Quant à la « boule de feu » d'Israël, on ne peut la regarder sans porter des lunettes noires !
Les photos ne suffisent pas, il faut aussi du texte. Ceylan, « c'est l'île éblouissante », « l'émeraude géante dans la mer... » ; l'Indonésie et la Crète se disputent le titre d' « île des dieux » ; l'Irlande proclame « Dieu merci, l'Irlande n'est pas au bord de la Méditerranée ». La

Tunisie use du slogan inverse « Allah merci, la Tunisie est au bord de la Méditerranée ».

Traditionnellement visitée par les touristes, l'Italie a moins besoin de publicité. Mais elle a du sens pratique : elle aime inviter les étrangers dans des pensions de famille. Pour leur faciliter les démarches, elle envoie à ses futurs hôtes, des modèles de demandes rédigées en italien. Il ne reste qu'à les compléter et à les adresser au destinataire.

Dans les dépliants des pays scandinaves, la poésie se mêle aux renseignements d'ordre pratique.

2. Une tuyautèque

Nous avons déjà parlé de *Nouvelles Frontières — Feu Vert pour l'Aventure*. Cette association a ouvert un centre de préparation aux voyages. Bibliothèques, discothèque, cartothèque, y sont à la disposition des Ulysses en partance. Mais aussi une tuyauthèque où sont rassemblés tous les renseignements que ses membres ont rapportés, classés. Tous leurs camarades peuvent les consulter. Ouvert le samedi et le dimanche, ce centre est une véritable coopérative d'information.

Mais il y a plus. Les jeunes rencontrent des gens qui peuvent les aider à préparer un voyage dans un pays déjà visité. Ceux qui sont allés seuls ou en groupe dans ce pays organisent à leur intention des soirées d'information. Il ne s'agit nullement de conférences style « Connaissance du Monde ». Les jeunes rencontrent des gens compétents. Ceux-ci leur font part de leurs idées, de leurs suggestions pour l'organisation de leur voyage. Ils les préparent à partir.

Fiche d'informations

I — *Vous souhaitez organiser vous-même (seul ou en petit groupe) un voyage.* Vous avez besoin de renseignements quelquefois difficiles à trouver et vous avez des problèmes d'organisation.

a) *Contactez :*
   — « **Centre d'Information et de Documentation Jeunesse** ».
   — « **C.O.G.E.D.E.P.** ».
   — « **Fédération Française des Clubs U.N.E.S.C.O., Centre International de Documentation — Département Diffusion des Documents** ».
   — « **Inter-Service Jeunes O.R.T.F.** ».
   — « **Nouvelles Frontières — Feu Vert pour l'Aventure** ».

b) *Consultez* divers ouvrages de librairie, entre autres :
   — « *Collection Petite Planète* », étude vivante et détaillée sur chaque pays.
   — « **Encyclopédie par pays** » (Nagel).
   — « **Guides Bleus** » (très détaillés).
   — « **Guide de l'Automobile Club** » (remis à jour chaque année, les renseignements donnés intéressent surtout ceux qui partent à l'étranger avec leur véhicule).
   — « **Guide de poche voyage Marcus** ».
   — « **Guide des vacances à l'Etranger pour les Jeunes** » (Editions Néret), listes d'adresses et divers renseignements techniques.
   — « **Guide Fodor** ».

- « **Guide Nagel** ».
- « **Guide Vert Michelin** ».
- « **Information Touristique le Monde** » (Larousse), présente sommairement des « fiches d'identité touristiques » de la plupart des pays du monde entier.
- « **Revue Geographia** ».

En anglais :

- « **Travel Information Manual** ». Edité par Fred van der Linden et publié par les Compagnies d'Aviation. Ce document de premier ordre est continuellement tenu à jour. Il est consultable mais n'est pas vendu au public. Il est publié par : « **Standing Committee of the Travel Information** » c/o K. L. M. Royal Dutch Airlines Tariffs and LATA Department — Amsterdam International Airport (East).

3. Les globe-trotters parlent des moyens de transport

On demande toujours aux grands voyageurs : « Mais comment voyagez-vous, les transports doivent vous coûter une fortune ? » « Mais non », répondent-ils, au grand étonnement de leur auditoire.

Il suffit de mettre le nez dans les tarifs des cars péruviens, afghans, turcs ou même américains (U.S.A.) pour se rendre compte qu'en Europe occidentale les tarifs sont affreusement chers.

Aux U.S.A., l'essence coûte deux fois moins qu'en France ; en U.R.S.S., le prix du voyage en wagon-couchette de Moscou à Khabarovsk (8 531 kilomètres) est identique à celui du trajet Paris-Rome, en première classe.

Veut-on d'autres exemples. On peut aller aux Indes, en utilisant le train, puis le bateau. Pendant plus de dix ans, le prix du trajet Londres-Bombay — en train et en bateau, répétons-le — n'a jamais dépassé cent à cent dix dollars U.S. C'est ce qui vous est demandé, pour une semaine de vacances dans une modeste pension de famille en Vendée ou en Bretagne. Certes, il ne faut pas être pressé, l'avion va plus vite. Mais ceux qui veulent voir du pays préféreront toujours cette formule. Et s'ils craignent le mal de mer, il leur sera toujours possible de prendre le bus transcontinental Londres-Bombay.

Ce n'est pas là la seule liaison à grande distance : des cars vont de Barcelone en Suède, de Zurich à Téhéran, d'Alger à Gao... Il y a aussi, entre autres, un car Mexico-Tijuana. Certes de mauvaises langues vous diront qu'au terme de cinquante-trois heures de route et dans quelles conditions, ils auraient préféré prendre l'avion. Il n'en reste pas moins que pour effectuer ce parcours, et ceux que nous venons de mentionner, ils auraient payé de quatre à huit fois plus cher.

Les cars américains : des aquariums roulants.

Certes les cars mexicains, péruviens, afghans... ne ressemblent en rien aux bus confortables qui traversent les Etats-Unis. Mais pour aller de la Nouvelle-Angleterre en Californie, le touriste plonge dans « la civilisation de l'autoroute ». On lui a dit « On ne voit pas les U.S.A. à trente mille pieds de haut, prenez l'autocar »... « Mais l'autocar reste un monde clos. On parcourt le pays dans une boîte fermée, chauffée, un avion qui roule au ras du sol ; impression de séparation encore accentuée par les vitres teintées de vert qui nous enferment dans une lumière d'aquarium [1]. » Et que voit-on à travers les vitres teintées de cet aquarium : d'énormes camions, des stations service, des motels...

1. J. F. Safari au pays du business. *Voyages,* supplément au n° 8 de la revue l'*Expansion.*

Fiche d'informations

Quelques formules pour ceux qui veulent faire un long trajet à bon marché et en restant au sol (pour les transports aériens à prix réduits, voir le paragraphe : « la valse des réductions », pages 41 et suivantes).

Pour rallier les Indes depuis l'Europe :

— *en car :* certaines agences effectuent des liaisons régulières en autocar pour l'Inde, à partir de Londres. Contactez directement les organismes suivants :

— « *Garrow-Fisher Tours* ».

— « *Penn Overland Tours* ».

— *en train et bateau :*

— train Londres-Paris-Istanboul,

— puis (deux fois par semaine) Istanboul-Bassora (Irak), se renseigner aux bureaux S.N.C.F.,

— enfin de ce port à Bombay, en bateau. Se renseigner à « **Ruys et Cie** ».

Pour traverser l'Europe et l'Asie jusqu'au Pacifique :

— Le Havre-Leningrad en bateau,

— Leningrad-Moscou-Khabarovsk (9 181 kilomètres en train), se renseigner à :

— « **Association France-U.R.S.S.** »,

— ou « **Intourist** ».

Pour traverser les Etats-Unis par la route :

Des livreurs « bénévoles » de véhicules automobiles peuvent effectuer à partir des usines d'automobiles américaines de longs trajets routiers (gratuits !) à travers les Etats-Unis.

Les candidats trouveront sous la rubrique « drive away »
(dans les pages jaunes des annuaires téléphoniques des
grandes villes américaines), le nom et l'adresse des entreprises susceptibles d'employer des jeunes gens pour livrer
des voitures à l'intérieur des Etats-Unis ; deux conditions :

— avoir au moins 21 ans,

— être muni d'un permis de conduire international.

4. La valse des réductions

D'ici peu personne ne paiera plus le plein tarif. Si l'on parcourt les brochures des offices de tourisme, on peut se demander qui le paie encore ?

Voici, par exemple, ce que proposent aux passagers à destination de l'Asie Mineure, les Lignes Maritimes Turques :
— 10 % de réduction sur les billets aller et retour,
— 15 % de réduction pour les personnes âgées de plus de 65 ans,
— 25 % de réduction pour les amateurs de croisières.

Ont également droit à une réduction de 15 % :
— les pères et mères de famille,
— les jeunes de moins de vingt et un ans,
— les religieux,
— les diplomates,
— les étudiants,
— les sportifs,
— les journalistes,
— les professeurs...

Les groupes de plus de vingt et une personnes bénéficient d'une diminution de 25 %.

— De ces tarifs de faveur, on peut encore déduire 10 % si l'on voyage en hiver. On peut bénéficier d'une réduction de 50 % sur les lignes maritimes intérieures si l'on arrive en Turquie par les Lignes Maritimes Turques.

Il y a mieux encore. Le détenteur d'une carte internationale d'étudiant se voit offrir de grandes facilités, non seulement en Turquie, mais aussi en Italie, aux U.S.A. et dans les Pays de l'Est. L'on met à sa disposition des listes d'adresses d'hôtels et de restaurants bon marché. Il profite aussi de réductions importantes sur les transports, sur le prix d'entrée dans certains musées, l'accès à des sites archéologiques, sur le prix des places de certains spectacles ou festivals.

Il faut cependant le constater : bon nombre de ceux qui utilisent les transports en commun ignorent encore les réductions offertes à ceux qui partent la nuit en train et en avion. C'est ainsi que l'on bénéficie de 25 % de réduction si l'on voyage en train de Paris à Londres, la nuit et en milieu de semaine. Ceux qui participent à un congrès, à un voyage touristique d'un mois, ou même d'un week-end ont droit à une réduction.

Les lignes aériennes ont largement suivi l'exemple donné par les compagnies de navigation, les chemins de fer et les transports routiers. Elles ont vraiment mené la « valse des réductions », pratiquant des prix toujours plus bas, consentant des tarifs préférentiels (Inclusives Tours et cartes d'abonnement).

Depuis la signature de la Convention Bulk, à Dallas, en février 1969, les agences de voyages peuvent accorder à leurs clients d'intéressantes réductions. Cet accord leur permet, en effet, de se réserver un contingent de dix à quarante places sur les avions des lignes régulières. Elles peuvent revendre ces places à des prix inférieurs aux tarifs pratiqués par les compagnies aériennes. Et, bien entendu, la réduction est proportionnelle au nombre des places contingentées vendues par l'agence.

Les forfaits-transports.

En versant une somme forfaitaire, vous pouvez circuler à volonté dans un pays pendant un certain nombre de jours. Vous pouvez voyager en car ou en avion ou encore utiliser successivement ces deux moyens de transport. Ce sont les forfaits-transports. Expérimenté d'abord aux Etats-Unis, ce système est en train de s'étendre au monde entier. Cependant, malgré ses avantages, il a plus de succès auprès des hommes d'affaires, qu'auprès des voyageurs soucieux de vivre de façon moins trépidante.

Aux Indes, l'on vous propose le billet « travel as you like » (voyagez comme cela vous plait). Ce billet est valable trente jours et dans tous les états du sous-continent. Mais il vous faut payer le tarif le plus élevé, car vous devez voyager en classe climatisée ou en première classe (cinq ou six fois plus chères que la troisième classe). Si vous ne craignez pas le manque de confort, il vaut mieux renoncer à la réduction et voyager dans une classe plus modeste.

Ne vous faites aucune illusion : la plupart des réductions résultent d'accords passés entre les compagnies et les gouvernements.

5. A propos des charters

C'est dans les transports aériens que se manifeste la concurrence la plus acharnée. Elle est due au fait que la nouvelle clientèle, celle en particulier des groupes d'étudiants, cherche à se déplacer rapidement et sans payer des tarifs trop élevés. Cela explique le succès des charters.

Bien souvent, on ne sait pas trop ce qu'est un charter et l'on ignore surtout ce que doit être « un bon charter ». Le charter est un avion affrété, autrement dit loué, par un transporteur aérien à un organisme. Cette location est soumise à des règles précises imposées par l'A.I.T.A. (Association Internationale des Transports Aériens) et par les gouvernements.

C'est ainsi que l'organisme affréteur (association, groupement, club, etc.) ne peut faire voyager que ses adhérents, et eux seuls. Encore faut-il qu'ils appartiennent depuis au moins six mois à cet organisme. Ainsi on n'achète pas une place dans un charter, on y bénéficie d'une place à tarif réduit en tant qu'adhérent d'une association. Il ne faut donc pas confondre voyages en charter et voyages bénéficiant de tarifs spéciaux dits de « groupes à affinités ».

Il faut aussi apprendre à distinguer les charters sérieux de ceux qui ne le sont pas. Ne le sachant pas, bon nombre d'Ulysses modernes ont connu bien des désagréments :

— vol inexistant,
— annulation du vol quelques jours avant le départ,
— importantes modifications d'horaires à l'aller comme au retour.

Sur le quai d'embarquement de Bâle, les membres d'une organisation, qui avait affrété un charter (appartenant à une compagnie aujourd'hui interdite de vol !), virent sortir des moteurs, une épaisse fumée. « Oh ! rien de grave » leur dit l'animateur de la compagnie. Rien de grave en effet : le commandant de bord sortit calmement de sa cabine et, en compagnie d'un mécanicien, se mit en devoir de réparer. Quatre heures plus tard, il invita tout son monde à prendre place !

On le voit, certains spécialistes des charters demandent beaucoup de patience à leurs clients. Par contre, dans le cas d'annulations demandées par les clients, la plupart des organisateurs se montrent draconiens alors qu'ils ne sont pas toujours en mesure de garantir un départ, ils se réservent le droit de conserver les versements effectués si le vol est annulé.

La location d'un charter n'est pas seulement affaire d'honnêteté, elle requiert aussi des compétences techniques. Si ces qualités sont réunies, on peut réduire sérieusement le coût d'un voyage, en évitant le risque d'un « naufrage » dans un pays quelconque.

Fiche d'informations

I — *Vous allez partir seul ou en groupe et vous recherchez dans le domaine des transports aériens, maritimes, ou terrestres, des tarifs économiques spécialement destinés aux jeunes,* adressez-vous à :

— « *Association Interministérielle des Transports* » (A.T.I.T.R.A.).

II — *Etudiant ou scolaire, vous voulez bénéficier des solutions économiques et des réductions accordées normalement aux étudiants du pays qui vous accueille (hébergement, accueil, transports intérieurs, manifestations et visites culturelles),* renseignez-vous auprès de :

— « **Office du Tourisme Universitaire et Scolaire** » (O.T.U.S.), qui délivre :
  - Guide des hôtels et restaurants (valable pour trente-deux pays).
  - L'étudiant au Nouveau Monde (pour l'Amérique du Nord).
  - Cartes internationales d'étudiants, celles :
    — de la Conférence Internationale des Etudiants,
    — de l'Union Internationale des Etudiants, destinées aux lycéens.

III — *Vous avez contacté des organismes qui proposent des charters. Avant de vous inscrire et d'envoyer de l'argent, préoccupez-vous de connaître :*

a) *L'organisateur :*

1. *Il doit être le véritable affréteur,* c'est-à-dire le titulaire de l'affrètement (n'acceptez pas les vagues intermédiaires

qui s'avèrent incapables de résoudre vos problèmes éventuels et surtout... de vous rembourser !).

Dans le cas d'une personne morale (associations), il y a lieu de savoir si elle est en situation régulière, c'est-à-dire :

- *déclarée,* association régie par la loi de 1901 (indication figurant en principe dans l'en-tête) ;

- *agréée* par *le Secrétariat d'Etat à la Jeunesse, aux Sports et aux Loisirs,* quelquefois par l'Education nationale ;

- *ou reconnue* par le Commissariat au Tourisme.

2. *Il doit vous faire des propositions précises et définitives* (et non de simples possibilités plus ou moins vagues. Trop souvent, les listes de vols présentées ne sont que des options que l'organisateur réduira en fonction des demandes réelles et à la dernière minute).

- *L'aéroport de départ doit être précisé :* exemple : Paris-Orly.

- *Dates de départ et de retour* (lisez attentivement les clauses générales).

- *Prix précis et figurant sur le document* d'information ou de confirmation qui doit vous être remis.

- *Titre de transport « retour ».* A défaut d'un billet retour, exigez un document indiquant de façon non équivoque : où, quand, comment et par qui le billet ou la contremarque vous sera remis.

- *Conditions d'annulation :* c'est souvent sur ce « terrain » que l'on peut comparer le sérieux des différentes propositions qui vous sont faites (délais et cautions raisonnables).

b) *le transporteur :*

1. *Il doit offrir des garanties :*

- grandes compagnies aériennes,
- filiales « charters »,

- grandes compagnies dites « supplemental carriers » (vols à la demande).

2. *Il doit faire connaître clairement :*
   - quel sera le véhicule utilisé, et l'intitulé de la compagnie,
   - si cette compagnie possède effectivement des droits de trafic.

En pratique, rares sont les candidats aux voyages qui ont envie de mener cette enquête. Néanmoins, il est indispensable d'obtenir une réponse précise sur le minimum des points précis énoncés ci-dessus.

Les problèmes de réglementation aérienne sont complexes. Aussi, si vous avez besoin de renseignements complémentaires ou de conseils, adressez-vous à :

— « **A.T.I.T.R.A.** ».

IV — *Tarifs aériens et « open-tickets »*

Tarifs aériens les plus bas en saison creuse :

- Dans le sens Europe-U.S.A. : environ fin août - mi-mai.
- Dans le sens U.S.A. - Europe : fin septembre à mi-juillet.
- Les tarifs les plus bas sur l'aller-retour se situent entre fin septembre et la mi-mai.
- En Méditerranée, Proche et Moyen-Orient : saison octobre-mai.

6. Peines et soucis d'un organisateur de voyages

Le Club Alpin de Lyon organise chaque année des voyages dans les pays montagneux. Envisageant cette année-là une « expédition » au Pérou, les responsables avaient dressé le plan détaillé du circuit. Ils l'avaient envoyé, rédigé en espagnol, à leur correspondant dans le pays et à la Corporation du Tourisme Péruvien. Un troisième exemplaire avait été adressé à chacune des villes situées sur le parcours. Tous les détails y figuraient : la date exacte des étapes, les réservations de chambres et de campings, le nombre de places à retenir dans les avions, les bateaux, les trains et les cars.

Les agences officielles et les compagnies d'aviation avaient répondu. Le départ était fixé à la fin de juillet. Tout semblait au point depuis juin. « Mais c'était compter sans le retard du bateau avec notre matériel, retard qui bouleversa tous nos plans », précise l'un des animateurs, qui ajoute : « Dans le fond, cela n'avait aucune importance pour les réservations, car à part quelques chambres retenues par la Corporation du Tourisme, rien n'avait été fait. Alors tout fut improvisé au dernier moment, les places furent louées, annulées, relouées, confirmées ou différées partiellement. »

Les organisateurs comprirent — quand ils furent sur place — qu'il fallait d'abord essayer de connaître l'état d'esprit de l'employé péruvien.

« En effet, le Péruvien se dépense sans compter pour vous faire plaisir. Dans son pays, seul le contact humain compte, le reste n'est que papiers sans importance. »

Ayant compris, « j'ai fait la queue quatre jours durant, devant les guichets pour louer les places »... « Notre président a passé tout l'après-midi du mardi 22 août pour inscrire cinquante-deux noms sur la liste de la compagnie aérienne qui nous avait amenés à l'aller. »

« S'il fallait donner un avis à un éventuel... organisateur...

de voyage au Pérou, je lui dirai : Prévoyez un jour de plus tous les trois ou quatre jours par rapport à un voyage en Europe. Venez avant le groupe et surtout précédez-le de un ou deux jours, d'étape en étape. Sur place, on se débrouille toujours, mais il faut perdre son temps. Ne voyagez pas nombreux aux mêmes endroits, éclatez-vous en commandos de cinq qui remplissent un taxi collectif et éparpillez-vous dans le pays [1]. »

---

1. *Profil péruvien*, livre sur le rassemblement alpin au Pérou (section Lyon - Saint-Gervais du Club Alpin Français).

V. L'aide aux aventuriers

1. Les soutiens publicitaires

Diverses associations font bénéficier leurs adhérents de
facilités de transport, en particulier de réductions sur les
tarifs. Ceci a grandement favorisé les déplacements de
jeunes, surtout ceux des scolaires et des étudiants. Mais
ces facilités demeurent réduites. Aussi bon nombre de
voyageurs ont-ils recours aux aides privées. Ils s'adressent,
par exemple, à des fabricants de matériel de camping, à
des fabricants de produits alimentaires ou encore à des
constructeurs automobiles. Ils obtiennent ainsi, gratuitement, ou du matériel, ou une aide financière, ou même
une aide technique (utilisation d'un réseau de concession-
naires). Il leur est demandé en échange une certaine publicité. Mais tous les « aventuriers » ne sont pas des « sup-
ports publicitaires » aussi célèbres que les alpinistes du
« Premier huit mille » réalisé dans l'Himalaya.
Devant le nombre croissant des demandes d'aides, les industriels sont, aujourd'hui, devenus plus réticents. Beaucoup
d'entre eux contestent d'ailleurs l'efficacité publicitaire des
raids, camps, rallyes... Certains continuent cependant à
aider les aventuriers, citons la Régie Renault, Kodak,
Olivetti, Elf, Total, Paridoc entre autres. Mais ils ont
entrepris de réglementer le soutien accordé aux jeunes
voyageurs. La plupart leur demandent, au retour de leur

périple, de ramener un rapport d'enquête, quelquefois même une véritable étude de marché.

2. La dotation Renault « les Routes du Monde »

Voici longtemps que la Régie *Renault* reçoit de nombreuses lettres de jeunes : la plupart sollicitent le prêt d'une Renault 4 pour un premier voyage dans un pays d'accès difficile.

A la longue, une sélection des candidatures s'imposa. La *Société des Explorateurs et Voyageurs français* accepta de s'en charger. Elle fixa la date limite des inscriptions au 1er octobre de chaque année.

Une vingtaine de jeunes Français sont ainsi sélectionnés à Noël. Ils doivent avoir entre 18 et 25 ans. On leur demande de former une équipe cohérente. Il leur faut également disposer de quelques loisirs, avant leur départ, pour suivre deux stages :

— à Pâques, les spécialistes de chaque équipe doivent passer dix jours à l'Ecole après-vente Renault. Ils y apprennent à démonter et à remonter une voiture.

— un peu plus tard, les spécialistes en cinéma de chaque équipe doivent participer à un stage organisé par le Comité du Film Ethnographique Français.

Bien entendu, les jeunes gens doivent prouver leurs connaissances au cours d'épreuves contrôlées par des anciens des « Routes du Monde ».

La Régie Renault prête des voitures pour la durée du voyage. Elle fournit aussi de l'outillage et des pièces détachées. Elle fait également bénéficier ses « protégés » d'une assurance et des services gratuits du réseau Renault dans les pays traversés.

Au départ, chaque équipe s'engage à donner régulièrement de ses nouvelles. Elle devra fournir un rapport — à la fois technique et général — dans le mois qui suivra son retour en France.

Les voyages réalisés dans le cadre des « Routes du Monde » n'ont pas une durée limitée. Les participants s'absentent généralement trois mois. On demande aux candidats, non « d'abattre des kilomètres », mais d'avoir un but précis dans leurs études ou leurs recherches.

3. Les prix d'encouragement à l'initiative des jeunes

Destinés à favoriser les voyages d'études particulièrement sérieux, les prix d'encouragement à l'initiative sont réservés à des jeunes de 16 à 25 ans.
Les candidats doivent présenter un projet au Service de la Jeunesse, des Sports et des Loisirs de leur département. Il leur faut avant tout indiquer avec précision le but de leur enquête ; ces buts peuvent être très divers, mais ils doivent offrir toutes garanties de sérieux et de réalisme. Aussi leur demande-t-on d'établir un budget prévisionnel. Les groupes retenus parmi les candidats comptent de trois à cinq membres. Ils reçoivent un prix régional variable suivant l'importance de leur entreprise. Ils disposent ainsi, au moment du départ, d'une aide financière.
A leur retour, ils présentent un rapport. Un jury national retient les meilleurs exposés. Un grand prix national de quatre mille francs a été décerné, en 1968, à un groupe revenant du Népal. Deux prix nationaux de trois mille et de quinze cents francs ont été attribués à des études sur la vie d'un village turc et sur le Guatemala.

4. La Fondation Nationale des Bourses Zellidja

La Fondation Nationale des Bourses Zellidja attribue tous les ans, après concours, des bourses d'étude et de voyage aux élèves de terminale des établissements publics de France et des pays d'expression française.
Les élèves de ces classes désignent chaque année, au

mois de novembre, ceux de leurs camarades qui ont le plus de caractère et de personnalité. C'est ce que souhaitait, il y a plus de vingt ans, le créateur de la Fondation, Jean Walter, architecte et homme d'affaires français.

Les élèves désignés établissent, avant le 1er janvier, un projet de voyage. Transmises au ministère de l'Education Nationale, ces études sont jugées par le Conseil de la Fondation, assisté de professeurs et d'anciens lauréats.

Attribuées aux auteurs des exposés les plus remarquables, les bourses sont accompagnées d'un diplôme établi en cinq langues.

Il doit servir, aux lauréats, de lettre d'introduction, au cours de leur voyage.

Ceux-ci sont dans l'obligation de voyager seuls et de recueillir notes et documents originaux avec une méthode rigoureuse. Ils sont également astreints à tenir un journal de route, un carnet de comptes détaillé, à rédiger un rapport d'enquête détaillé.

Bien souvent, le lauréat est contraint de travailler en cours de route pour mener à bien son enquête. Chaque voyage dure au moins un mois. Toute liberté est laissée au boursier quant à son itinéraire et à ses moyens de transport. Mais s'il emprunte le train ou le bateau, il doit voyager en seconde classe.

Les sujets faisant l'objet d'une étude ne sont pas limités : coutumes, genres de vie, ressources artistiques et intellectuelles...

Au retour, le jury ne doit pas fonder son appréciation sur la longueur du chemin parcouru, mais sur la valeur du rapport présenté.

Les auteurs des meilleurs rapports ont reçu chacun, en 1968, un prix de deux mille cinq cents francs, les dix suivants se sont vu attribuer des prix de cinq cents à huit cents francs.

S'il est classé parmi les cinquante premiers, un lauréat peut se voir accorder une bourse pour un second voyage. Il est alors soumis aux mêmes obligations que précédemment. Les bénéficiaires, qui affrontent à nouveau et victorieusement le jury, sont proclamés « Lauréats de la Fondation ».

Au cours de cinq mille voyages, les boursiers Zellidja ont parcouru tous les continents [1].

5. La Fondation « J »

La *Fondation* « *J* » créée en 1962, par les sociétés adhérentes au groupement Paridoc, distribue chaque année des bourses de voyage (cent cinquante en 1968).

Chaque bourse, d'un montant de mille francs (en 1968) est destinée à contribuer aux frais d'un voyage d'études en Europe.

La *Fondation* « *J* » veut développer dans la jeunesse française — et dans l'opinion française en général — la connaissance des problèmes techniques et humains touchant la vie économique.

Les bénéficiaires sont sélectionnés par des jurys régionaux [2] comprenant des universitaires et des journalistes, mais aussi des producteurs agricoles, des industriels, des économistes.

S'il en est ainsi, c'est que les études exigées des candidats doivent porter sur les problèmes de la commercialisation d'un produit (ou d'un groupe de produits) de consommation courante, alimentaire ou non.

Encore s'agit-il de problèmes nouveaux, car le boursier doit déterminer l'évolution de la consommation selon la mobilité démographique, le pouvoir d'achat, le style de vie...

1. Le Comité Central des Armateurs de France met à la disposition de la Fondation un contingent de passages gratuits, au bénéfice des boursiers de second voyage.
2. Il y a neuf sièges de jurys régionaux : Alès, Bordeaux, Clermont-Ferrand, Dijon, Le Mans, Lille, Lyon, Reims et Paris. Les jurys sélectionnent les candidats et jugent ensuite les rapports établis à l'issue du voyage.

Mais, et de plus en plus, les exposés portent sur des problèmes sociologiques : le tourisme, les loisirs, etc.

Les candidats et candidates doivent :

— être âgés de 18 à 24 ans,
— s'ils sont mineurs, obtenir une autorisation du détenteur de la puissance paternelle pour bénéficier de la bourse de la *fondation J* et, éventuellement, pour franchir les frontières de France,
— être de nationalité française,
— jouir de leurs droits civiques,
— ne pas avoir bénéficié antérieurement d'une bourse de cette fondation.

On leur demande également :

— un curriculum détaillé,
— toutes précisions sur la ou les bourses similaires obtenues auprès d'organismes extérieurs à la fondation,
— un projet d'étude (cinq pages dactylographiées au maximum) délimitant le plus nettement possible le sujet qu'ils se proposent d'étudier.

Dans ce projet, le candidat devra indiquer, dans ce but :

— les raisons du choix de son sujet (personnelles, économiques),
— une ébauche du plan de travail,
— les méthodes et moyens d'enquête envisagés,
— et dresser la carte du circuit projeté.

Le boursier est dans l'obligation de voyager seul, de respecter le sujet choisi, de tenir au jour le jour un carnet de notes manuscrit relatant ses impressions, ses difficultés, ses succès, de rédiger des notes techniques.
Son voyage devra durer trois semaines au minimum et avoir lieu entre le 1er juin et le 1er septembre.
A l'issue du voyage, le jury désigne parmi les cent cinquante boursiers, ayant effectué le voyage prévu et ayant remis

le rapport demandé, vingt-cinq lauréats régionaux et cinq
lauréats nationaux.

6. Bourses Feu Vert pour l'Aventure

Nous avons déjà parlé du club « Feu Vert pour l'Aventure ». Il a été créé en 1966, à la suite d'une expérience
tentée par le ministère de la Jeunesse et par l'O.R.T.F. Il
s'agissait d'offrir, à des jeunes, une bourse leur permettant
d'effectuer un voyage et de tourner un film.
L'année de sa création la bourse offrait la possibilité au
lauréat de voir ses réalisations présentées à la télévision.
Il recevait au départ une somme d'argent et six cents mètres
de pellicule. On lui proposait d'être parrainé par une personnalité. Ayant suivi un stage de formation cinémato-
graphique, il pouvait alors tourner un reportage au cours
de son voyage et, au retour, le présenter à l'O.R.T.F.
L'expérience s'est révélée concluante. En 1968, l'O.R.T.F.
a reçu plus de trois mille lettres de candidats. Vingt
boursiers étaient sélectionnés.

Fiche d'informations

I — *Vous êtes une petite équipe et vous voulez être aidé financièrement par un organisme d'Etat ou privé, pour un voyage d'études à l'étranger :*
- Prix d'initiative des Jeunes (P.I.J.) — voyages par petits groupes :
  - « **Service de la Jeunesse, des Sports et des Loisirs** », de votre département de résidence.
- Dotation routes du monde :
  - « **Renault Elysées — Direction des Relations Extérieures** ».
- Bourses « Feu Vert pour l'Aventure » :
  - « **Nouvelles Frontières — Feu Vert pour l'Aventure** ».
  - *Dotation* **Kodak** « *grand reportage* » offre une aide de matériel à quelques équipes.

II — *Vous désirez partir seul pour un voyage d'études à l'étranger, et obtenir une aide substantielle :*
- « *Bourses de la Fondation du Groupe Elf* (ex-Bourses Caltex) ».
- « *Bourses du C.I.R.E.C.T.* ».
- « **Bourses Feu Vert pour l'Aventure** (voyages d'aventures) », à « **Nouvelles Frontières — Feu Vert pour l'Aventure** ».
- « **Fondation J** ».
- « **Fondation Nationale des Bourses Zellidja** ».

III — *Vous partez pour un voyage d'études ou d'aventures, que vous organisez vous-même et qui présente certaines difficultés (d'accès, techniques, diplomatiques, de séjour, etc.).* Prendre contact avec :

— « **Centre d'information et de Documentation Jeunesse (C.I.D.J.)** ».

— « **Nouvelles Frontières — Feu Vert pour l'Aventure** ».

— « **Société des Explorateurs et des Voyageurs Français** ».

IV — *Avant de partir, vous désirez suivre un stage d'initiation ou de perfectionnement PHOTO et CINEMA (en général huit ou dix jours de suite — quelquefois sous forme de week-end et cours du soir).* Se renseigner auprès du :

— « **Secrétariat d'Etat à la Jeunesse, aux Sports et aux Loisirs** » (s'adresser auprès du service de votre département). Il vous indiquera les possibilités de stages organisés par lui-même, ou les organismes qui sont sous sa tutelle (diverses associations d'éducation populaire, mouvements de jeunesse ou associations de voyages, régis par la loi de 1901 et ne poursuivant aucun but lucratif).

Ces stages sont généralement très intensifs, et à des prix très abordables pour des bourses modestes.

Nota : un certain nombre d'associations (**Nouvelles Frontières — Feu Vert pour l'Aventure, Centre National du Film pour l'Enfance et la Jeunesse,** etc.) proposent à leurs adhérents des stages de prises de vues.

VI. Les échanges internationaux

1. Le Comité pour les Relations Internationales

Les origines du C.R.I.F.

Au lendemain de la seconde guerre mondiale naissent et se développent des associations d'éducation populaire et des mouvements de jeunesse dont l'objectif commun est le rapprochement entre les peuples. Leurs dirigeants en sont désormais convaincus : les beaux discours devant les monuments aux morts, dans les camps d'internement, ne suffisent plus pour « faire un monde meilleur ». Il faut agir, il faut aussi s'unir.

Un essai de regroupement de ces associations et de ces mouvements, sous le nom d'Office français des échanges internationaux, échoue. Mais ce n'est qu'un faux départ. Un comité de coordination des échanges internationaux, créé en 1947, arrive à fédérer sept de ces associations. C'est un premier succès. De 1951 à 1960, il parvient à en regrouper dix-sept, puis trente-cinq. Il en réunit aujourd'hui soixante-dix. Mais entre-temps, il a changé de nom. Il est devenu le Comité pour les relations internationales des associations françaises de jeunesse et d'éducation populaire. Autrement dit, le C.R.I.F.

Le programme du C.R.I.F.

Toutes les associations fédérales au sein du C.R.I.F. sont d'accord pour :

— exprimer la volonté d'échanges de leurs jeunes et obtenir, pour eux, les moyens de développer leurs contacts avec l'étranger,

— informer les jeunes et tous ceux qui s'intéressent aux échanges, des réalisations et des possibilités qui s'offrent à eux,

— démontrer la nécessité de créer en France des structures d'accueil permettant la venue des étrangers,

— assurer une certaine communauté de vues entre les associations et définir les critères de base nécessaires à une action efficace et coordonnée [1].

Regroupant les principales associations françaises, le C.R.I.F. étend son action aux relations de la France avec tous les pays. S'il collabore avec les organisations internationales de jeunes (W.A.Y. [2], C.E.N.Y.C. [3], etc.) il travaille aussi en liaison avec d'autres institutions internationales (U.N.E.S.C.O.) ou européennes (C.E.E., Conseil de l'Europe).

Si telle association rattachée au C.R.I.F. proclame : « Le tourisme doit donner aux jeunes l'habitude du dialogue, le respect d'autrui, le sens de la communauté, du destin de l'humanité », ces théories ne doivent pas masquer les réalités concrètes.

Le C.R.I.F. a besoin de l'aide, et surtout de l'aide financière, des pouvoirs publics pour réaliser ses objectifs, dont les principaux sont :

— l'éducation et la formation touristique des jeunes,

---

1. Ce programme figurait déjà dans la brochure de présentation du *Comité de Coordination des Associations d'Echanges Internationaux,* pour l'année 1967.
2. W.A.Y. : World Assembly of Youth (son siège est en Belgique).
3. C.E.N.Y.C. : Conseil Européen des Comités Nationaux de jeunesse.

— la formation d'animateurs et de cadres des groupes en voyage,

— la mise sur pied d'installations pour les recevoir,

— le financement des programmes d'animation (spectacles publics, visites gratuites de musées),

— le financement des libres organisations du tourisme des jeunes,

— l'exonération fiscale des organismes qui ne poursuivent aucun but lucratif (régis par la loi de 1901) et s'intéressent aux problèmes du tourisme des jeunes,

— la suppression de tous obstacles d'ordre bureaucratique et politique,

— la libre circulation et les libres rencontres de jeunes venant des pays les plus divers.

L'action du C.R.I.F.

Concrètement, le C.R.I.F. veut assurer des possibilités de rencontres internationales, et plus spécialement entre jeunes de 14 à 25 ans. C'est-à-dire la possibilité, par exemple, de :

— correspondre avec un Américain, un Russe, un Africain... de son âge, peut-être même le recevoir quelques semaines dans sa famille,

— vivre dans une famille anglaise,

— découvrir le Québec,

— suivre un séminaire d'études techniques au Japon,

— accueillir un groupe d'Allemands dans sa ville et réaliser un jumelage,

— participer à un chantier de travail volontaire au Moyen-Orient,

— apprendre une langue étrangère dans le pays,

— rencontrer des agriculteurs hollandais, etc.

Ces contacts, ces actions étaient pratiquement impensables il y a quelques décades. Aujourd'hui le public intéressé, jeune ou adulte, est, au contraire, fort embarrassé : le choix est tellement vaste.

Il ne faut cependant pas, devant la multiplicité de ces réalisations, baigner dans une joie utopique : en 1970, moins de 5 % des jeunes Français ont profité directement de cette heureuse évolution des rapports internationaux. L'on peut dès lors se demander si les bénéficiaires sont des exceptions « triées sur le volet » ou des privilégiés habiles et marginaux.

Il appartient à chacun de décider ce qu'il en sera dans l'avenir.

2. Les chantiers internationaux de travail volontaire

Les chantiers de la paix (le S.C.I.).

« Un mois de novembre, une douzaine de jeunes Hongrois, Allemands, Anglais, Français, Suisses et une Hollandaise s'attelèrent à la reconstruction de maisons de paysans détruites pendant la guerre. Couchant dans une baraque, mangeant frugalement et ne percevant aucun traitement, ils travaillèrent tout l'hiver. Et ils s'acquirent la sympathie des paysans qu'ils aidaient. Pourquoi ce labeur aussi acharné que peu rémunérateur ? Parce que, lassés des tergiversations de leurs aînés, les jeunes voulaient faire quelque chose pour la paix. Ils adoptèrent la devise : « Pas de paroles, des actes [1]. »

Ce premier chantier international de volontaires se tint en 1920, très peu de temps après la première guerre mondiale, à Esnes (tout près de Verdun, là où l'on s'était tant battu !).

Son animateur était un ingénieur suisse, objecteur de conscience : Pierre Céserole. Il venait de fonder le S.C.I. *(Service Civil International).* Dès ses débuts, le S.C.I. proclama bien haut qu'il n'était pas une œuvre charitable, et pas davantage une organisation fournissant de la main-d'œuvre à bon marché. Travailler sur un chantier n'était

1. *Education et Echange,* bulletin n° 42.

pour ses membres, ni un passe-temps comme un autre, ni un moyen de se donner bonne conscience.

L'un des buts essentiels du S.C.I. est de remplacer le service militaire par un service civil international. Ses brigades pacifiques interviennent, sous forme de chantiers de travail, là où s'est produit une catastrophe naturelle (tremblement de terre, raz de marée, épidémie, etc.).

Depuis plus de cinquante ans, le S.C.I. envoie des groupes de volontaires partout où il y a urgence. Il demande aussi aux gouvernements de lui confier les objecteurs de conscience.

Le S.C.I. et les objecteurs de conscience.

Les objecteurs de conscience de nationalité française ont réussi à obtenir un statut en 1963 [1]. Ils ont eu dès lors la possibilité de travailler au sein d'une association choisie par eux. L'éventail en est assez large : *S.C.I., Emmaüs, Compagnons bâtisseurs, C.E.M.E.A., Etudes et Chantiers,* etc.

En fait, les objecteurs de conscience considéraient ce statut comme un leurre, car ils restaient soumis à la justice militaire. Ils avaient toujours l'impression, mais d'une façon détournée, d'être au service d'une force armée. Tout leur a paru différent lorsqu'ils sont passés, en 1969, sous la tutelle du ministère des Affaires sociales.

3. Les volontaires de la coopération

Durant la période de l'entre-deux-guerres le S.C.I. avait donné l'exemple. Son action n'en constituait pas moins une exception. Il n'en a plus été de même dès la fin du second conflit mondial. Les chantiers internationaux ont

1. Loi n° 63-1255 du 21 décembre 1963 relative à certaines modalités d'accomplissement des obligations militaires imposées par la loi sur le recrutement.

alors connu un succès sans précédent. Il existe peu de pays au monde où il ne s'en tient un tous les ans. Le volontariat est à la mode ; encore faut-il distinguer parmi les différentes associations, confessionnelles ou laïques, nationales ou internationales qui organisent ces chantiers.

Les problèmes que soulève la coopération dans le monde ne sont pas simples. Ils sont d'ordre politique. « Il est facile de soulever contre ses partisans ceux qui ne veulent voir dans l'aide de certains pays envers d'autres, que la marque actuelle du colonialisme renaissant, et ceux qui, par naïveté peut-être, ne recherchent que le bien-être des populations moins favorisées [1]. »

Il existe, à l'heure actuelle, plus de soixante-dix programmes de coopération. Si leurs résultats étaient négligeables il y a quelques années, et gardaient la valeur d'un symbole, il n'en est plus du tout de même aujourd'hui.

A cela vient s'ajouter la diversité des motivations. Les deux mille volontaires du « Peace Corps » (fondé en 1961 par le Président Kennedy) pourront-ils travailler un jour pour les mêmes buts ou sur les mêmes chantiers que les volontaires britanniques, ou ceux du Pape ? ou à côté de ceux qu'envoie le Comité d'organisation des jeunesses soviétiques ?

Le problème comporte encore d'autres aspects. En France, le programme des Volontaires Français de la Coopération est organisé en accord avec l'Armée. D'autres, tel celui du *Service Civil International,* se veulent résolument anti-militaristes. Ces derniers regroupent en leur sein des volontaires de toutes tendances politiques, religieuses, philosophiques. L'on compte parmi eux des objecteurs de conscience.

Devant cette multiplicité de programmes, devant leurs diversités fondamentales, la confusion des pays « aidés » est grande. En 1969, volontaires allemands, américains, britanniques, français, belges, suisses et japonais travaillaient au

---

1. *Education et Echange,* bulletin n° 43.

Maroc. Chaque pays avait son programme. Voilà de quoi étonner les volontaires eux-mêmes.

4. L'A.S.A.T.O.M.

L'A.S.A.T.O.M. (*Association pour les Stages et l'Accueil des Techniciens d'Outre-Mer*) s'est constituée en 1960, sous l'impulsion du Secrétariat d'Etat chargé de la Coopération. Ce ministère était soucieux de donner aux jeunes Etats africains et malgaches les cadres administratifs qui leur manquaient encore au moment de leur indépendance. Il mettait ainsi en place un organisme capable d'accueillir ces stagiaires.

L'A.S.A.T.O.M. allait connaître, en 1967, une mutation profonde. D'africaines, ses compétences devinrent universelles. Et, du coup, elle changea de nom, devenant le C.I.S. (*Centre International des Stages*).

M. N'Sougan était chargé de recherches au C.N.R.S., ambassadeur et délégué permanent de la République du Togo auprès de l'*U.N.E.S.C.O.,* en 1968. Il pensait alors que la réussite de la coopération consisterait à déverser le trop-plein des pays nantis vers les pays demandeurs. Mais il était convaincu que la plus ingénieuse des théories de la coopération ne saurait en aucun cas se substituer à une action pratique mais limitée [1].

Il y a peu de temps encore, en Afrique, « dans des colonies de vacances, on lançait des montgolfières, dans les Maisons de jeunes africaines, on jouait " l'article 330 " de Courteline, ou l'on jouait du " Brecht " ».

Ces activités pratiquées en France avaient été introduites telles quelles dans leurs milieux, par certains animateurs africains, au terme d'un stage où ils avaient été encadrés par des Français.

Des organismes, tels que les C.E.M.E.A. (*Centres d'Entraî-*

---

1. *Education et Echange,* bulletin n° 43.

nement aux Méthodes d'Education Active), et bien d'autres, avaient fait les frais de ces expériences malheureuses. Très vite, ils furent convaincus que toute activité devait être en rapport avec la réalité économique et sociale du pays. Pour les « pays pauvres », l'éducation permanente était liée au développement économique d'un village, d'un quartier, d'une cité ou d'une nation. Ainsi, en 1960, le Sénégal lance le mouvement de l'animation féminine rurale. Les stages de formation d'animatrices restent dirigés par des responsables, françaises le plus souvent. Ils durent de quinze à vingt jours et comportent des causeries dirigées, des démonstrations, etc. « De retour dans leur village, les nouvelles animatrices cherchent par leur exemple à stimuler d'autres femmes à l'action, à les pousser à agir. Des comités se créent, responsables chacun d'un aspect de la vie villageoise : propreté des rues, dépistages des maladies, campagnes de vaccinations, garderies d'enfants... A Siné-Saloum, les femmes ont organisé des rizières collectives, dont le produit doit servir à l'achat d'un moulin. En Casamance, à Tendième, les femmes ont ouvert une garderie peur cent dix enfants, se relayant à tour de rôle, pendant les travaux des champs, pour s'occuper des enfants [1]. »

5. Devenez caravaniers

A la suite de ces expériences, quelques associations françaises se sont orientées résolument vers ces formes d'action, les maintenant toujours en relations très étroites avec les pays où elles s'exerçaient. C'est ainsi que les *Eclaireurs de France,* la *Ligue Française de l'Enseignement,* les *Francs et Franches Camarades* apportent une aide précieuse dans le domaine du perfectionnement des instructeurs. Ils ont fondé le Centre Laïque des Etudes et de Rencontres pour l'Afrique et Madagascar *(C.L.E.R.A.M.).*

1. *Pas à pas,* n° 161, information Unesco : « Les Africains et l'animation rurale. »

De plus, d'autres organisations telles les E.R.O.M. (Equipes de Relations avec l'Outre-Mer) essaient d'atteindre les jeunes Français inorganisés. Elles constituent des caravanes. Ces caravanes collaborent à des actions locales sans prétention, mais concrètes, au Togo, au Sénégal, à Madagascar. Par exemple, elles créent des jardins potagers, construisent des poulaillers, entreprennent des actions sociales, se livrent à l'alphabétisation ou encore recherchent des menus équilibrés pour la population...

La mixité des groupes de volontaires aide à l'approche des milieux africains ou du Moyen-Orient (Liban). Les conditions matérielles de ces séjours exigent des participants beaucoup d'endurance. Les caravaniers se déplacent aux moindres frais : ils voyagent en dernière classe sur le bateau, utilisent le camion sur les pistes ; l'hébergement se fait quelquefois en dortoirs ; les travaux manuels entrepris sous un climat rude éprouvent fort les Européens arrivés frais et roses.

Avant le départ les volontaires s'engagent à suivre une session de formation organisée par le *C.L.E.R.A.M.* La sélection des caravaniers s'effectue, durant cette période, en fonction des exigences de la vie collective et du gros effort qui leur sera demandé.

Les premières caravanes se constituèrent en 1966. Elles étaient destinées à l'Afrique. Elles comportaient des Belges, des Suisses, des Allemands et des Français.

Sur 102 jeunes, l'on comptait 58 jeunes filles (elles étaient donc supérieures en nombre, une fois de plus, aux garçons). L'on trouvait 43 étudiants et 23 enseignants. Mais il y avait aussi des assistantes sociales, des infirmières, des éducateurs, et, enfin, mais peu nombreux, des gens très utiles : cadres, techniciens, artisans.

En général, les volontaires retournent deux années de suite dans la même région. Ils y passent de quatre à huit semaines chaque fois.

6. Les Volontaires du progrès

L'*Association Française des Volontaires du Progrès* a été
créée en 1963. Elle a voulu permettre à certains jeunes,
dépourvus de diplômes universitaires, de réaliser leur rêve :
connaître des hommes et des pays neufs. Il s'agit de jeunes
possédant une qualification professionnelle. Ils pouvaient,
par suite, travailler à leur enrichissement personnel tout en
aidant et en servant le pays où on les enverrait.
Ces jeunes gens vivent en général en milieu rural. Ils sont
en contact direct et quotidien avec les réalités de l'Afrique
ou des territoires malgaches.

Bien entendu, cette solution ne convient :
— ni à ceux qui veulent simplement voir du pays,
— ni à ceux qui veulent se faire une situation.

Les jeunes gens et les jeunes filles peuvent être Volontaires du Progrès et pour les premiers cela tient lieu
de service militaire. Tous doivent souscrire un engagement
d'un an minimum. Les volontaires travaillent par équipes
de trois et perçoivent une indemnité qui peut être consi-
dérée comme un salaire modeste.

7. Un essai d'approche : l'opération « W »

A l'appel de la F.A.O., les *Scouts de France* ont créé, en
1966, l'opération « W ». « W » c'est-à-dire deux « V »,
deux volontés de coopérer, l'une venant d'Afrique, l'autre
de France.
L'opération a débordé rapidement le cadre du scoutisme.
Elle porte souvent sur les mini-chantiers concernant une
action très précise (la construction d'un puits par exemple).
Un catalogue de ces « mini-coops » est alors mis à la disposition des intéressés, dont certains ont neuf ans.
Elle a permis la réalisation d'entreprises remarquables

grâce à la mobilisation de milliers de jeunes de part et d'autre des mers.

En 1966, l'opération « W » a suscité la réalisation d'entreprises de grande envergure. Des lycéens de Strasbourg ont pris à charge le financement de l'ensemble des 19 mini-coops centrées sur un hôpital du Cameroun.

L'opération « W » se déroule le plus souvent avec le concours de la jeunesse locale. Celle-ci est soutenue par des équipes de volontaires venues de tous les horizons. Ses principaux champs d'action sont l'Afrique et l'Amérique du Sud.

L'ambiance n'est pas partout la même.

En Afrique, et, d'une façon générale, partout où il y a des tâches urgentes et nécessaires, les jeunes volontaires travaillent souvent très dur. Il semble bien qu'en Europe la situation soit tout autre.

« Certes la rencontre internationale existe encore, mais ce type de chantier n'est plus un creuset dans lequel l'urgence et la difficulté de la tâche forgent une équipe au sein de laquelle les frontières ne comptent pas [1]. »

Mais des jeunes, revenant d'un chantier, déclarent : « Les premiers jours, on nous occupait plus ou moins à laver des planches, puis on a fait un peu de peinture. On a travaillé effectivement six jours, le reste... on était présent sur le chantier, mais on ne faisait rien. Je trouve que c'est dommage de perdre son temps pendant trois semaines [2]. »

Aussi aberrante que puisse être cette situation, il faut bien constater qu'il y a de plus en plus de jeunes Européens disposés à payer de leur personne. Cependant, il est indispensable de faire quelque chose afin que ces chantiers cessent d'être une « espèce de colonie de vacances pour grands et un séjour à bon marché où les heures de travail diminuent au profit de sessions dites d'études ».

1. *Education et Echange,* bulletin n° 42.
2. *Education et Echange,* bulletin n° 42, « Volontaires à un chantier international du Tyrol ».

8. Vers de nouvelles formules

Cotravaux, association de cogestion pour le travail volontaire des jeunes, a été créée en 1959. Dix ans plus tard, elle admet dans son conseil d'administration les représentants de treize ministères et ceux de neuf associations de chantiers. Cette association va aider les organisateurs de chantiers à prendre un tournant qui s'avère dangereux.

Ces derniers tentent, en Europe, des expériences à caractère social, dans des maisons d'handicapés physiques, par exemple. D'autres, comme les Compagnons Bâtisseurs, apprennent à lire aux travailleurs d'Afrique noire venus en France. En Allemagne fédérale, des équipes du Service Communautaire International de la Jeunesse s'occupent des malades dans les hôpitaux psychiatriques. En Autriche, en Yougoslavie, en Angleterre, des chantiers-pilotes ont réussi à faire travailler ensemble étudiants et jeunes délinquants. A la surprise générale, ceux-ci se montrent aussi ardents à la tâche que ceux-là.

Il convient, semble-t-il, d'étendre ces formes d'action à d'autres types de chantiers. A d'autres pays également, car, après quinze ans, le nombre des volontaires échangés tous les ans, entre les pays de l'Est et ceux de l'Ouest, ne dépasse pas quinze cents !

Fiche d'informations

I — *Vous êtes attiré par un chantier international de travail à l'étranger :*

A. Ayez au moins 18 ans *(généralement pour les 14-18 ans, seuls les chantiers en France leur sont ouverts).*

B. Si vous n'avez pas d'idée précise sur la formule ou l'organisme qui pourrait vous intéresser plus particulièrement, écrivez à :

— « Cotravaux » (Association de Cogestion pour le Travail Volontaire des Jeunes) qui pourra vous conseiller un chantier en Europe comme première expérience.

C. Vous pouvez contacter directement une des associations suivantes (elles ne sont pas toutes membres de Cotravaux) :

— « **Compagnons Bâtisseurs** » font partie de l'International Bouword).
— « **Cimade** » (**Service Œcuménique d'entraide**).
— « **Concordia** ».
— « **Etudes et chantiers** ».
— « **Jeunesse et Reconstruction** ».
— « **Jeunesse Oblige** ».
— « **Le Moulin des Apprentis** ».
— « **Mouvement Chrétien pour la Paix** » (section des jeunes).
— « **Service Civil International** ».

D. Si aucune des associations citées ci-dessus ne convient aux pays ou aux conditions que vous souhaitez, écrivez directement au :

— « **Comité de Coordination du Service Volontaire**

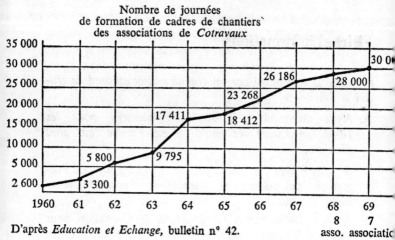

Nombre de journées
de formation de cadres de chantiers
des associations de *Cotravaux*

D'après *Education et Echange*, bulletin n° 42.

asso. associatio

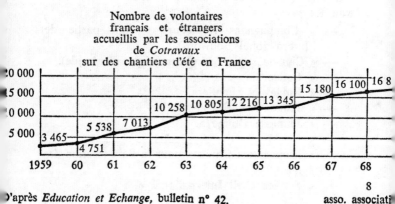

Nombre de volontaires
français et étrangers
accueillis par les associations
de *Cotravaux*
sur des chantiers d'été en France

D'après *Education et Echange*, bulletin n° 42.

asso. associati

International (U.N.E.S.C.O.) », il vous enverra sur demande :

- la brochure « Chantiers de travail ». C'est le programme général des associations de chantiers de plus de soixante pays ;
- la liste des chantiers ayant encore des places disponibles (si vous écrivez en pleine saison).

Mais ce comité de cordination n'organise pas lui-même des chantiers et ne recrute pas des volontaires. Contactez toujours directement l'association organisatrice.

E. Vous avez choisi une organisation (ou un chantier), avant de vous inscrire :

- lisez attentivement les buts de l'association,
- les conditions de travail.

II — *Vous désirez connaître le maximum des possibilités proposées à ceux qui veulent « faire quelque chose » pour le Tiers Monde*, demandez au :

- « **Bureau d'Information sur la Coopération** » (Secrétariat d'Etat aux Affaires Etrangères),
- ou au « **Centre d'Information sur la Coopération** » la brochure « **Que faire pour le Tiers Monde ?** ».

Vous y trouverez les noms et adresses des associations et des organismes :

- *qui vous permettront d'aller sur place participer* au développement (en bénévoles ou en exerçant des activités rémunérées), *d'actions à court ou à long terme* ;
- *qui vous informeront sur les possibilités en France, de rendre votre action future plus efficace*, en recevant une information ou une formation sous la forme de documentation, bulletin périodique, sessions de courte ou longue durée, des cycles, des conférences, ou des cours à différents niveaux ;

- *qui vous permettront dès maintenant d'exercer des activités* tels qu'accueil et rencontres, aide aux travailleurs immigrés, alphabétisation.

Avant de donner votre inscription définitive :

— Efforcez-vous de savoir ce que vous voudriez être sur le chantier choisi :

- un militant qui adhère de toutes ses forces au but de l'association qui vous a recruté ?
- un travailleur aussi efficace que possible ?
- un intellectuel qui se cherche et qui veut surtout discuter avec des étrangers ?
- un voyageur qui se « place » dans des séjours bon marché ?

— Essayez d'imaginer ce que vous risquez de devenir sur « le tas » :

- un causeur inutile et plein d'ampoules (chantier pénible, terrassement, etc.) ?
- un optimiste inadapté face à des conditions très particulières (actions de développement dans un pays du Tiers Monde) ?
- un inefficace plein de bonne volonté, dans des actions spécialisées (alphabétisation, secourisme d'urgence, agriculture, bâtiment, etc.) ?

III — *Vous êtes plus particulièrement attiré par un chantier-coopération à court terme* (deux mois maximum), adressez-vous à :

— « **Assistance Technique et Coopération** ».
— « **Association Champenoise de Coopération Inter-Régionale — Chambre d'Agriculture** ».
— « **Association Française des Volontaires du Progrès** ».
— « **Association France-Algérie** ».
— « **Centre Laïque de Coopération Extra-Scolaire pour l'Afrique et Madagascar** », (C.L.E.R.A.M.).

— « Cercle Universitaire Connaissance de l'Afrique ».
— « Collège Coopératif — Ecole Pratique des Hautes Etudes ».
— « Concordia ».
— « Cotravaux ».
— « Eclaireurs et Eclaireuses de France — Equipes des Relations avec l'Outre-Mer (caravanes E.R.O.M.) ».
— « Etudes et Chantiers ».
— « Fédération Mondiale des villes jumelées ».
— « *Fédération Nationale Léo Lagrange* (Bureau des Liaisons Africaines et Malgaches) ».
— « Jeunesse et Reconstruction ».
— « Mouvement Chrétien pour la Paix ».
— « Nouvelles Frontières *(section Tiers Monde)* ».
— « Office Central pour la Coopération Culturelle Internationale ».
— « Organisation Internationale de Coopération Médicale — Branche Française ».
— « Scouts de France — Opération W ».
— « Scouts de France — Service Tiers Monde ».
— « Service Civil International ».
— « Service National Coopération des Centres d'Entraînement aux Méthodes d'Education Active », (C.E.M.E.A.).
— « Union Nationale des Maisons Familiales d'Apprentissage rural ».

IV — *Vous désirez partir comme bénévole ou simple indemnisé sur des chantiers à long terme ;* adressez-vous à un des organismes suivants :
— « Assistance Technique et Coopération ».
— « Association Française des Volontaires du Progrès ».
— « Bureau d'Etudes des Postes et Télécommunications d'Outre-Mer ».
— « Centre Chrétien de Formation pour Laïcs au Service des Pays en Voie de Développement ».

- « **Comité Catholique des Amitiés Françaises dans le Monde** ».
- « **Comité de Coordination du Service Volontaire International U.N.E.S.C.O.** ».
- « **Compagnie Internationale du Développement Rural** ».
- « **Compagnons Bâtisseurs** ».
- « **Délégation Catholique pour la Coopération** ».
- « **Fédération Mondiale des Villes Jumelées** ».
- « **Fraternité Terre Nouvelle** ».
- « **Frères des Hommes** ».
- « **Jeunes Travailleurs en Service Copainville** ».
- « **Mouvement Chrétien pour la Paix** ».
- « **Mouvement International de Jeunesse Agricole et Rurale Catholique** ».
- « **Scouts de France — Service Tiers Monde** ».
- « **Service Civil International** ».
- « **Service et Développement** ».
- « **Service Œcuménique d'Entraide** ».
- « **Société des Missions Evangéliques de Paris** ».

V — *Vous désirez aller sur place participer au « développement » en exerçant des activités dans le secteur public ou privé,* adressez-vous aux organismes suivants :

- « **Assistance Technique et Coopération** ».
- « **Association Internationale pour le Développement** ».
- « **Association Internationale pour le Développement Economique et l'Aide Technique** ».
- « **Association pour l'Organisation de Missions de Coopération Technique** ».
- « **Association Universitaire pour le Développement de l'Enseignement et de la Culture en Afrique et à Madagascar** ».
- « **Bureau Central pour les Equipements d'Outre-Mer** ».

- « Bureau de la Main-d'Œuvre du Secrétariat d'Etat aux Affaires Etrangères ».
- « Bureau de Recherches du Pétrole ».
- « Bureau de Recherches Géologiques et Minières ».
- « Bureau d'Etudes des Postes et Télécommunications d'Outre-Mer ».
- « Bureau pour le Développement de la production agricole ».
- « Caisse Centrale de Coopération Economique ».
- « Centre Chrétien de Formation pour Laïcs au Service des pays en voie de Développement ».
- « Centre de Perfectionnement pour le Développement et la Coopération Economique et Technique ».
- « Centre Laïque d'Etudes et de Rencontres pour l'Afrique et Madagascar ».
- « Club Industrie et Pays sous-équipés ».
- « Comité Catholique des Amitiés Françaises dans le Monde ».
- « Compagnie Internationale de Développement Rural ».
- « Institut d'Elevage et de Médecine Vétérinaire des Pays Tropicaux ».
- « Institut de Recherche et d'Application des Méthodes de Développement ».
- « Office Central pour la Coopération Culturelle Internationale ».
- « Office de la Recherche Scientifique Outre-Mer ».
- « Organisation Internationale de Coopération Médicale — Branche Française ».
- « S.C.E.T. — Coopération ».
- « Secrétariat des Missions d'Urbanisme et d'Habitat ».
- « Service et Développement ».
- « Service Œcuménique d'Entraide ».
- « Société d'Aide Technique et de Coopération ».
- « Société des Missions Evangéliques de Paris ».

— « Société d'Etudes pour le Développement Economique et Social ».
— « Société Française des Ingénieurs d'Outre-Mer ».
— « Union Nationale des Maisons Familiales Rurales d'Education et d'Orientation ».

VI — *Vous cherchez une association ou un mouvement organisant des voyages d'études pour le Tiers Monde :*

— « Action, Education, Information Civique et Sociale (Culture et Promotion) ».
— « Amitiés du Tiers-Monde ».
— « Assistance Technique et Coopération ».
— « Association Champenoise de Coopération Inter-Régionale Chambre d'Agriculture ».
— « Association de Cogestion pour le Déplacement à But Educatif des Jeunes ».
— « Association pour l'Organisation de Missions de Coopération Technique ».
— « Association pour l'Organisation de Stages en France ».
— « Bureau de Recherches du Pétrole ».
— « Centre International de l'Enfance ».
— « Centre International de Recherches et d'Echanges Culturels et Techniques ».
— « Centre Laïque d'Etudes et de Rencontres pour pour l'Afrique et Madagascar ».
— « Cercle Universitaire " Connaissance de l'Afrique " ».
— « Collège Coopératif — Ecole Pratique des Hautes Etudes ».
— Comité Catholique des Amitiés Françaises dans le Monde ».
— « Comité de Coordination du Service Volontaire International U.N.E.S.C.O. ».
— « Comité Français pour la Campagne Mondiale contre la Faim ».
— « Culture et Développement ».

— « Equipe Nationale " Jeunes " de Pax Christi ».

— « Francs et Franches Camarades ».

— « Fédération Française des Clubs U.N.E.S.C.O. ».

— « Fédération Nationale des Clubs de Loisirs Léo Lagrange », Bureau des Liaisons Africaines et Malgaches.

— « Institut International de Recherche et de Formation en vue du Développement Harmonisé ».

— « Jeunes Equipes Internationales ».

— « Jeunes Femmes ».

— « Mouvement Chrétien pour la Paix ».

— « Nouvelles Frontières ».

— « Office Central pour la Coopération Culturelle Internationale ».

— « Organisation Internationale de Coopération Médicale — Branche Française ».

— « Promotion Féminine et Développement ».

— « Scouts de France — Service Tiers Monde ».

— « Service Œcuménique d'Entraide (CIMADE) ».

— « Vie Nouvelle — Section Tiers Monde ».

VII — *Vous avez bientôt l'âge d'être appelé pour faire le traditionnel service militaire. Pour des raisons toutes personnelles, vous ne voulez pas effectuer un service armé,* trois possibilités s'offrent à vous. Pensez-y et renseignez-vous avant la date d'appel de votre contingent ou de l'expiration de votre sursis.

1. *L'aide technique :* elle contribue au développement des départements et territoires français d'Outre-Mer.

Candidatures :

— « **Ministère chargé des Départements et Territoires Français d'Outre-Mer, Cabinet Militaire, Aide Technique** ».

2. *La coopération culturelle ou technique :* elle contribue au développement des états étrangers liés à la France par des accords internationaux.

Candidatures :
- « **Ministère des Affaires Etrangères — Bureau des Appelés du Contingent du Service de la Coopération — Section Recrutement** ».

3. *L'action des objecteurs de conscience :* elle ne dépend plus du Ministère des Armées, mais se trouve sous la tutelle des Affaires Sociales. Un nombre de plus en plus grand d'associations acceptent d'employer les objecteurs sur leurs chantiers. Vous pouvez vous renseigner auprès de :
- « **Aide à toute détresse** ».
- « **Centres d'Entraînement aux Méthodes d'Education Active** », (**C.E.M.E.A.**).
- « **Compagnons Bâtisseurs** ».
- « **Compagnons d'Emmaüs** ».
- « **Organisation Centrale des Camps et Activités de Jeunesse** » (**O.C.C.A.J.**) ».
- « **Service Civil International** ».
- « **Service Œcuménique d'entraide** » (**CIMADE**).
- etc.

VIII — *Vous désirez vous abonner à des revues traitant des problèmes du Tiers Monde ou plus généralement, des problèmes économiques, sociaux et culturels de différents pays.* Adressez-vous à :
- « **Atlas** ».
- « **Coopération et Développement** ».
- « **Croissance des Jeunes Nations** ».
- « **Economie et Humanisme** ».
- « **Faim et Développement** ».
- « **Faim et soif** ».
- « **Le courrier de l'U.N.E.S.C.O.** »

- « **Le Mois en Afrique** ».
- « **Présence Africaine** ».
- « **Sciences et Voyages** ».
- « **Terre Entière** ».
- « **Tiers-Monde** ».
- « **Vaincre la Faim (F.A.O.)** ».

Fiche d'informations

Vous êtes intéressé par les problèmes d'échanges internationaux :

- *Abonnez-vous à :*
  - « **Education et Echange** » (bulletin de liaison du Comité pour les Relations Internationales des Associations Françaises de Jeunesse et d'Education Populaire).
  - « **Le courrier de l'U.N.E.S.C.O.** » (très bon marché), la rédaction est faite dans les langues les plus utilisées dans le monde. Abonnement chez votre libraire ou directement à la librairie U.N.E.S.C.O.

- *Contactez :*
  - « **Le Service Jeunesse, Sports et Loisirs** » de votre département (voir liste complète à l'index alphabétique). Il pourra éventuellement vous donner les coordonnées des différentes associations locales ou départementales.
  - « **La Fédération Française des Clubs U.N.E.S.C.O.** » (liste des groupes locaux ou départementaux, manifestations privées principales dans l'année).

Les chantiers d'études.

Fondés en 1956 dans le cadre des activités de l'association « *Alpes de Lumière* », avec le concours d'étudiants architectes de la Maison des Beaux-Arts de Paris, les chantiers d'étude n'ont cessé de se développer.

Les volontaires y entreprennent, par exemple, des études démographiques, des études de services de documentation, ou la planification des équipements scolaires dans une agglomération urbaine.

Ils s'occupent aussi de l'aménagement de centres culturels, de parcs naturels régionaux, de foyers de jeunes ou encore de villages de rencontres internationales. Ce sont là de véritables programmes d'action. Et l'on ne peut que songer à certaine réflexion de Saint-Exupéry : « Si tu veux que les hommes soient frères, fais-leur construire quelque chose ensemble. »

Chaque pays, chaque mouvement de jeunesse, chaque association touristique a sa façon de concevoir les rencontres internationales. Chacun a son programme et ses objectifs.

Quand la Roumanie propose de rencontrer ses jeunes viticulteurs au moment des vendanges (rencontres dans le travail et les excursions), la formule plaît à certains. Ce n'est plus tout à fait le vrai chantier. C'est plutôt la formule des vacances actives à l'étranger.

Ceci nous amène à parler des centres internationaux de séjour.

NOMBRE D'ADHÉRENTS
dans quelques-uns des trente-quatre pays,
ayant une Fédération Nationale affiliée à la *I.Y.H.A.*
(International Youth Hostel Association.)

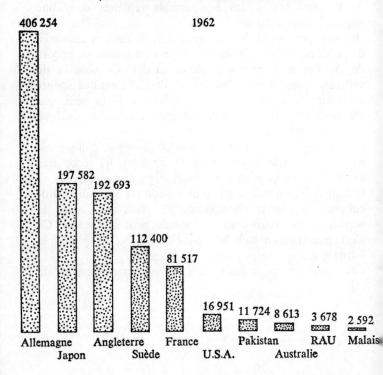

1962

406 254	197 582	192 693	112 400	81 517	16 951	11 724	8 613	3 678	2 592

Allemagne — Japon — Angleterre — Suède — France — U.S.A. — Pakistan — Australie — RAU — Malais

VII. Les échanges internationaux (suite)

1937. Paris est à l'heure universelle. Enthousiaste, la France découvre l'Exposition Internationale.

Pour héberger les élèves de province venus la visiter, Jean Zay, ministre de l'Instruction Publique, a créé avec l'aide de divers organismes, le Comité d'Accueil des Ecoles Publiques.

Chargé, par ailleurs, de promouvoir les voyages et les séjours à caractère éducatif des élèves et des étudiants, ce comité organisera les premiers Centres Internationaux de Séjour.

Ceux-ci se développeront surtout après la seconde guerre mondiale. On en trouve aux U.S.A., au Canada, dans les pays d'Europe, notamment dans les pays socialistes. Mais depuis longtemps des pionniers avaient tracé la voie. Il est bon, à ce sujet de rappeler les origines de la première Auberge de Jeunesse.

1. Centres Internationaux de Séjour et Auberges de Jeunesse

Les origines.

Au début du siècle, un jeune instituteur allemand, Richard Shirrmann, quitta la Prusse orientale pour s'installer en

Westphalie. Il s'occupa tout particulièrement des loisirs de plein air des enfants et des adolescents de cette région à forte concentration industrielle. Pour ceux d'entre eux qui partaient en excursion, il organise des gîtes d'étapes. Pour ceux qui profitaient des grandes vacances pour voyager, il installe, tout d'abord, des couchettes dans une salle de classe. Puis il créera, en 1911, la première Auberge de la Jeunesse à Burg Altena, en Westphalie. Richard Shirrmann donnera à des milliers de jeunes peu fortunés les moyens de découvrir le monde.

Le succès de ses idées est dû au fait qu'en réaction contre le développement du machinisme et de l'industrialisation, se manifeste alors en Allemagne le goût du retour à la nature. Ce désir d'évasion loin des villes et de leurs contraintes explique l'essor, à cette époque, d'une organisation, telle que les Wandervogel (les oiseaux migrateurs).

L'Europe centrale et la Scandinavie créent à leur tour un réseau d'Auberges de la Jeunesse. Après un temps d'arrêt dû à la première guerre mondiale, le mouvement gagne l'Angleterre, puis l'Amérique et même l'Océanie.

L'organisation actuelle.

Nombreux sont aujourd'hui les jeunes qui passent quelques semaines ou davantage dans les Centres de séjour ou dans les Auberges de Jeunesse. Ces Centres et ces Auberges ne sont pas des hôtels bon marché, pas davantage des moulins où l'on entre et d'où l'on sort à tout moment.

La formule allie les émotions du voyage au calme de la vie sédentaire. L'on occupe le même lit pendant plusieurs nuits de suite, les repas sont soumis à un horaire, mais il est fixé avec beaucoup de souplesse. On peut généralement y faire sa cuisine, utiliser librement le gaz, les tables et le matériel de la salle commune. Avant de partir chacun doit plier ses couvertures ou faire son lit. Le père ou la mère aubergiste demande un service journalier (balayage des dortoirs, nettoyage des lavabos et des abords).

Centre de séjour et Auberges sont des maisons où chacun essaie de respecter les exigences de la vie en commun, où chacun a l'obligation de se comporter de façon courtoise.

Il faut signaler également que la plupart du temps l'équipe d'animateurs du Centre ou de l'Auberge de la Jeunesse propose, sur place, un certain nombre d'activités : jeux sportifs, veillées, débats...) auxquelles s'ajoutent, à l'extérieur, excursions, visites et voyages de découverte.

Cependant déjà dans un grand nombre de pays, les parents aubergistes ne peuvent plus être considérés comme de véritables animateurs. La plupart se bornent à faire observer strictement le règlement intérieur. Beaucoup sont devenus ou gardiens ou restaurateurs, ou se contentent de vendre des cartes postales. Certains vont plus loin : ils sont toujours absents.

Peuvent-ils vraiment le leur reprocher ceux qui considèrent les Auberges où ils descendent, comme un dortoir et les responsables comme de simples contrôleurs de cartes de passage ?

On ne saurait assez conseiller à ceux qui se rendent dans un Centre de séjour d'étudier de près le programme concret qui leur est proposé. Ils éviteront ainsi bien des déconvenues : « L'accueil du premier jour avait été vite déçu par la suite du programme. En effet, j'étais allée en Autriche dans un centre international et culturel, pour rencontrer d'autres jeunes de mon âge et en même temps pour pratiquer la marche pour découvrir la région. La documentation prévoyait vaguement cela. En fait, dès le premier jour, je m'apercevais que l'animateur n'aimait pas plus la marche que le pays. En fin de compte, il s'occupa de nous un seul jour... pour organiser une sortie en car [1]. »

1. Témoignage de M. F., Romans.

Fiche d'informations

I — *Vous voulez vous intégrer à un groupe qui a décidé de prendre en main son voyage à l'étranger (choix d'un programme, d'un thème, d'un itinéraire, etc.),*

A. Ecrivez à :
- « **Eclaireurs et Eclaireuses de France** — **Service 15-24** » **(Orléans).**
- « **Nouvelles Frontières** — **Feu Vert pour l'Aventure** ».

B. Vous pouvez prendre contact éventuellement avec des associations locales (groupes de scoutisme, Maisons des Jeunes et de la Culture, Clubs de Loisirs ou de Jeunes, etc.) qui mettent en place des déplacements économiques, mais demandent aux participants de préparer en petits groupes leur séjour ou leur circuit. Exemple : La **Maison des Jeunes et de la Culture Robert Martin,** (26 - Romans), qui met sur pied des voyages par petits groupes et réservés à ses adhérents (Iran, Pérou, Crète, Sardaigne, Afghanistan, etc.).

C. Renseignez-vous a*u Service Départemental de la Jeunesse, des Sports et des Loisirs, Bureau de l'Education Populaire,* de votre département (adresses classées à **Services Départementaux de la Jeunesse, des Sports et des Loisirs).**

II — *Vous voulez vous intégrer en arrivant dans le pays, à un milieu humain ou économique particulier.* Exemple :
- kibboutz d'Israël,
- vendangeurs de Roumanie, etc.

écrivez à :
- l'**Office du tourisme** du pays en précisant ce que vous désirez faire (adresses classées à **Offices du tourisme).**

Fiche d'informations

I — *Vous désirez partir seul ou avec un groupe constitué
à l'avance, dans un centre de séjour à l'étranger :*
- pour y rencontrer d'autres jeunes venus d'horizons différents,
- pour effectuer à partir de ce lieu de séjour, une découverte ou une étude de milieu,
- pour participer à un séjour à thème (sessions du style « Découverte de l'Allemagne », organisées par l'O.F.A.J. (Office Franco-Allemand pour la Jeunesse),
- pour y pratiquer des activités culturelles, sportives ou de détente.

Nota : les séjours linguistiques et sur le Tiers-Monde font l'objet de chapitres et de fiches d'informations à part.

Adressez-vous aux organismes suivants :
- « A Cœur Joie » (plus de six ans), chant choral et rencontres internationales.
- **« Action, Education, Information Civique et sociale (Culture et Promotion) »**, (plus de dix-huit ans), sessions d'informations sur les problèmes économiques et sociaux.
- **«Action Internationale des Jeunes »**(quatorze, dix-huit ans), rencontres internationales.
- **« Alliance des Unions Chrétiennes des Jeunes Gens de France »** (plus de dix ans), échanges, camps.
- **« Association des Jeunes en Vacances »** (dix-huit, vingt-cinq ans), séjours.
- **Association des Amis de la République Française »** (quatorze, dix-huit ans), rencontres internationales.
- **« Association Nationale des Clubs Scientifiques »** (plus de quatorze ans), séjours scientifiques.

- « **Association pour la Démocratie et l'Education Locale et Sociale** » (plus de dix-huit ans), sessions d'informations sur les problèmes civiques, économiques et sociaux.
- « **Avenir et Joie** » (plus de quatorze ans), séjours de découvertes.
- « **Bureau International de Liaison et de Documentation** » (plus de douze ans), rencontres franco-allemandes.
- « **Caravanes sans frontières** » (quinze, vingt-quatre ans), séjours, découvertes et rencontres.
- « **CEDICE** », rencontres internationales et séjours d'études.
- « **Centres d'Echanges Internationaux** » (plus de quatorze ans), séjours et rencontres culturelles.
- « **Centre de Coopération Culturelle et Sociale** » (plus de treize ans), rencontres internationales, séjours de découvertes.
- « **Centres d'Entraînement aux Méthodes d'Education Actives** » (plus de dix-huit ans), séjours.
- « **Centre International de Formation Européenne** » (pour adultes), problèmes économiques.
- « **Centres Musicaux Ruraux** », colonies de vacances et camps pour jeunes musiciens.
- « **Cité Club Universitaire** » (plus de quatorze ans), séjours culturels, rencontres internationales.
- « **Club des Quatre Vents** » (plus de quatorze ans), séjours et voyages, rencontres internationales.
- « **C.O.G.E.D.E.P. (Association de Cogestion pour les Déplacements à But Educatif des Jeunes)** », (plus de dix-huit ans), séjours et voyages d'études ou de sensibilisation à des problèmes économiques ou sociaux.
- « **Confédération Musicale de France** » (plus de dix ans), rencontres internationales, séjours culturels.
- « **Confédération Nationale de la Famille Rurale** », (pour tous), séjours d'études.

— « **Confédération Nationale des Groupes Folkloriques Français** » (plus de dix-huit ans), rencontres internationales et stages de folklore.

— « **Echanges Internationaux entre Familles Chrétiennes** » (quatorze, dix-huit ans), rencontres internationales, séjours culturels.

— « **Eclaireurs, Eclaireuses de France (section d'Orléans)** ».

— « **Fédération Française des Ciné-Clubs** » (dix-sept, vingt-cinq ans), rencontres internationales et culturelles.

— « **Fédération Française des Clubs de Cinéma Amateurs** », rencontres et séjours culturels, prises de vues techniques.

— « **Fédération Française des Clubs U.N.E.S.C.O.** » (dix-sept, vingt-cinq ans), séjours culturels et rencontres internationales.

— « **Fédération Française des Maisons des Jeunes et de la Culture** » (plus de quinze ans), rencontres internationales, séjours culturels.

— « **Fédération Française des Villes Jumelées** ».

— « **Fédération Nationale des Clubs de Loisirs Léo Lagrange** » (plus de quatorze ans), rencontres internationales et séjours culturels.

— « **Fédération Unie des Auberges de Jeunesse** » (quinze, trente ans), séjours culturels, rencontres internationales.

— « **Inter-Echanges** » (plus de dix ans), séjours culturels.

— « **Jeunesse et Marine** » (quatorze, dix-huit ans).

— « **Ligue Française de l'Enseignement** », séjours et activités culturels.

— « **Ligue Française pour les Auberges de la Jeunesse** » (plus de quatorze ans), séjours culturels, rencontres internationales.

— « **Ligue Maritime et d'Outre-Mer** », séjours et activités culturels.

— « **Maison Internationale des Jeunes** » (plus de huit ans), séjours.

— « **Maisons Internationales de la Jeunesse et des Etudiants** » (plus de seize ans), séjours et activités culturels.

— « **Mouvement de l'Enfance Ouvrière** », séjours culturels.

— « **Office Central pour la Coopération Culturelle Internationale** » (plus de dix-huit ans), rencontres internationales, séjours culturels.

— « **Office du Tourisme Universitaire et Scolaire** » (plus de dix-huit ans), rencontres internationales, séjours et activités culturels.

— « **Office Franco-Allemand pour la Jeunesse** » (dix-huit, vingt-cinq ans), sessions découvertes de l'Allemagne, rencontres internationales.

— « **Office Franco-Britannique** », croisières franco-britanniques.

— « **Office Franco-Québécois** » (plus de seize ans), sessions découvertes du Québec, rencontres internationales.

— « **Organisation Centrale des Camps et Activités de Jeunesse** » (plus de seize ans).

— « **Peuple et Culture** » (Grenoble), sessions protection de la nature.

— « **Rencontres de Jeunes** » (plus de seize ans), rencontres internationales, séjours et activités culturels.

— « **Union Française des Centres de Vacances** » (plus de quatorze ans), rencontres internationales, séjours et activités culturels.

— « **Union Française des Œuvres des Vacances Laïques** » (plus de dix-neuf ans), rencontres internationales, séjours et activités culturels.

— « **Union Nationale des Groupes Folkloriques pour la Culture Populaire** » (pour tous), rencontres internationales, activités culturelles.

— « **Vacances d'Adolescents** et **Vacances d'Adoles-**

centes » (quatorze - dix-sept ans), rencontres internationales, séjours et activités culturels.
— « Vie Nouvelle » (pour adultes), séjours et activités
culturels.

II — *Vous voulez pratiquer une activité de plein air dans
le cadre d'une rencontre ou d'un séjour international à
l'étranger.* Les associations ci-dessous pourront vous pro-
poser un certain nombre d'activités et de formules de plein
air :

— « **Alliance des Unions Chrétiennes de Jeunes Gens
de France** » (à partir de dix-huit ans).
— « **Association des Jeunes en Vacances** » (de quinze
à vingt-cinq ans).
— « **Association Nationale pour le Tourisme Equestre** ».
— « **Camping-Club International de France** » (à partir
de quinze-seize ans), (ski).
— « **Caravanes sans Frontière** » (quatorze à vingt-quatre
ans).
— « **Centre de Coopération Culturelle et Sociale** » (à
partir de sept ans), (ski).
— « **Chalets internationaux de Haute Montagne** » (de
dix-sept à dix-neuf ans), (alpinisme, ski, escalade).
— « **Club des Quatre-Vents** » (huit à vingt ans) (ski,
montagne).
— « **Centre Laïque de Tourisme Culturel** » (à partir de
seize ans) (ski).
— « **Centre Laïque d'Aviation Populaire** » (vol à voile,
vol à moteur, aéromodélisme).
— « **Comité National des Sentiers de Grandes Randon-
nées** » (randonnées pédestres).
— « **Comité Protestant des Colonies de Vacances** ».
— « **Cité-Club Universitaire** » (dix à trente ans), (ski).
— « **Eclaireuses et Eclaireurs de France** » (à partir

de quatorze ans), (ski, spéléologie, voile, archéologie, nautisme).

— « **Fédération Française de Camping et de Caravaning** » (activités de plein air, guide officiel).

— « **Fédération Française de Canoë-Kayak** ».

— « **Fédération Française de Cyclotourisme** ».

— « **Fédération Française d'Etudes et de Sports Sous-Marins** » (guide officiel).

— « **Fédération Française des Maisons des Jeunes et de la Culture** ».

— « **Fédération Française de la Montagne** (alpinisme, escalade, montagne).

— « **Fédération Française de Spéléologie** ».

— « **Fédération Française des Sports Equestres** » (annuaire).

— « **Fédération Français du Yachting à voile** » (brochure voile, du ministère de la Jeunesse et des Sports).

— « **Fédération Nationale Aéronautique** » (vol à voile, vol à moteur).

— « **Fédération Nationale des Clubs de Loisirs Léo Lagrange** » (de dix à trente ans).

— « **Fédération des Œuvres Educatives et de Vacances de l'Education Nationale** » (quatorze à dix-huit ans), (activités de plein air).

— « **Fédération Sportive de France** ».

— « **Fédération Sportive et Gymnique du Travail** » (loisirs service camping, plongée sous-marine, voile).

— « **Fédération Unie des Auberges de Jeunesse** » (de quinze à trente ans), (canoë-kayak, montagne, spéléologie, voile, équitation).

— « **Groupement des Campeurs Universitaires** ».

— « **Jeunesse et Marine** » (dix à dix-huit ans), (voile).

— « **Ligue Française des Auberges de la Jeunesse** » (de quinze à trente ans), (montagne, ski, camping, nautisme).

- « **Ligue Française de l'Enseignement** ».
- « **Ligue Maritime et d'Outre-Mer** » (de quinze à vingt ans), (voile).
- « **Office du Tourisme Universitaire et Scolaire** », étudiants et enseignants (dix-huit à trente-cinq ans), (ski, voile, nautisme).
- « **Organisation Centrale des Camps et Activités de Jeunesse** » (voile, ski, de quinze à trente ans ; activités de plein air à partir de six ans).
- « **Rencontres de Jeunes** » (à partir de seize ans).
- « **Service de la Formation Aéronautique** » (vol à voile, vol à moteur, aéromodélisme).
- « **Touring-Club de France** » (à partir de huit à quatorze ans, suivant les activités), (voile, canoë-kayak, cyclisme, escalade, montagne, plongée sous-marine, randonnées pédestres, sports équestres, spéléologie, ski).
- « **Union Française des Centres de Vacances** » (six à dix-huit ans), (activités de plein air).
- « **Union Française des Œuvres de Vacances Laïques** » (de sept à dix-huit ans), (activités de plein air).
- « **Union Laïque des Campeurs Randonneurs** » (cyclisme, randonnées pédestres).
- « **Union Nationale des Centres Sportifs de Plein Air** » (U.C.P.A.), (de seize à trente ans), (voile, canoë-kayak, ski, plongée sous-marine, escalade, montagne).
- « **Union Touristique « Les Amis de la Nature »** (de douze à dix-huit ans), (ski, camping, cyclisme).
- « **Vacances d'Adolescentes** » (de quatorze à dix-sept ans), (montagne et nautisme).

III — *Vous souhaiteriez bénéficier d'une bourse de voyage à l'étranger ou de séjour subventionné.* Adressez-vous au :

— « **Service de la Jeunesse, des Sports et des Loisirs** », de votre département (voir liste en fin d'ouvrage), demande de renseignements vers Pâques ;

- Bourses de séjours d'études et de rencontres internationales (S.E.R.I.) : une dizaine par département pour les dix-huit, vingt-cinq ans, quelquefois jusqu'à trente-cinq ans pour les voyages de formation d'animateurs de groupes en voyage.

- Bourses « Cleveland » (séjours aux U.S.A.).

- Sessions découvertes de l'Allemagne (dix-huit, vingt-cinq ans).

- Sessions découvertes du Québec) à partir de seize ans).

- Bourses de voyages U.N.E.S.C.O., s'adresser directement aux **Associations départementales U.N.E.S.C.O., ou à la Fédération Française des Clubs U.N.E.S.C.O.**

Fiche d'informations

— *Des adresses pour être hébergé (à bon marché) dans le monde entier* avec la carte d'adhérent à la « **Fédération Unie des Auberges de Jeunesse** », qui met à la disposition des jeunes :

- guide français des Auberges de Jeunesse,
- guide allemand,
- guide anglais,
- guide international, rédigé en anglais, allemand et français :
  - tome 1 : principales installations des Auberges de la Jeunesse en Europe,
  - tome 2 : Auberges de la Jeunesse d'Amérique, d'Asie et d'Australie,

avec la carte d'adhérent à la « **Ligue Française pour les Auberges de la Jeunesse** »,

- guide international des Auberges de Jeunesse.

— *Dans certains pays d'Europe existe un début de réseau* « **Point H** ». Ces « pied-à-terre » ont été organisés par des groupes locaux de jeunes qui peuvent accueillir pendant les vacances, d'autres jeunes de passage.

- « **Point H** ».

2. Des voyages à thèmes

L'exemple de coordination des échanges internationaux est donné en France par le *C.R.I.J.E.F.* (Comité des Relations Internationales des Echanges Français). A un niveau plus élevé, l'*U.N.E.SCO.* facilite aussi les recherches des inorganisés et des groupes. Voyageurs isolés ou indécis trouveront auprès de ces organismes, conseils et renseignements précis.

Sur le plan pratique, la création d'associations telles que l'*Office Franco-Allemand pour la Jeunesse,* l'*Office Franco-Britannique,* l'*Office Franco-Québécois* ont détendu l'ambiance et facilité les approches. Pourtant les dirigeants des sessions internationales « Connaissance de la France [1] » ont constaté parfois que des groupes intéressés à un même programme sont restés côte à côte sans se rencontrer vraiment.

Il faut cependant reconnaître que, malgré des échecs partiels et inévitables, le succès des rencontres et découvertes du pays est indéniable. Il est indéniable non seulement en Europe, et notamment en Allemagne, mais aussi au Québec et en Tunisie.

Programmes et thèmes varient à l'infini :

— Rencontres avec la jeunesse hollandaise *(Secrétariat à la Jeunesse, aux Sports et aux Loisirs),*

— Protection de la nature dans les Alpes italiennes *(Peuple et Culture),*

— Découvertes de la Bavière, de Copenhague, de la Pologne, de Cuba, etc.

L'Association de Cogestion pour les Déplacements à but éducatif des Jeunes *(C.O.G.E.D.E.P.)* regroupe près d'une quarantaine d'associations de jeunesse et d'éducation populaire. C'est un peu le « spécialiste promoteur » de ces voyages à thème : voyages de découvertes (surtout en

---

1. Sessions organisées par le *Secrétariat à la Jeunesse, aux Sports et aux Loisirs.*

Europe), voyages concernant les problèmes du développement.

Un certain nombre de stages sont prévus chaque année pour des animateurs de groupes en voyages. S'il a au moins vingt et un ans, un candidat peut se voir accorder une bourse de voyage d'étude (en Egypte, en Afrique noire, etc.), s'il s'engage à assurer soit la direction, soit l'animation d'un groupe, l'année suivante, dans le même pays.

En France, bien peu profitent de ces facilités, notamment les jeunes travailleurs, dont à peine sept pour cent passent leurs vacances à l'étranger [1]. L'inscription d'un apprenti plombier à un voyage d'études reste une « curiosité ». Il en est de même pour les jeunes ruraux.

Safaris pour techniciens.

De plus en plus, les possibilités d'échanges internationaux se présentent au niveau des préoccupations professionelles. « Contempler les chutes du Niagara, Manhattan, ou le Grand Canyon, c'est bien ; voir les usines Boeing, la pétrochimie du Texas, ou les laboratoires d'Oak Ridge, pour beaucoup, c'est encore plus intéressant [2]. »

Quelle importante société commerciale ne recherche aujourd'hui des contacts, sinon des contrats, à l'étranger ? Mais aussi quelle association corporative ou syndicale n'engage-t-elle pas ses adhérents à rencontrer des collègues étrangers ?

Bon nombre d'Offices du tourisme organisent des « Industrial Tours ». Les promoteurs du tourisme d'affaires diffusent la liste des entreprises que l'on peut visiter.

Des associations de voyages sans but lucratif, tel le *C.V.J.R.* (Centre de Voyages des Jeunes Ruraux), proposent sous le titre de « Recherche et découverte du monde

1. Résultats de différentes enquêtes effectuées dans des foyers de jeunes travailleurs de 1962 à 1970 (nombreux numéros des revues *Jeunes Travailleurs* et *Pas à Pas.*
2. Safari au pays du business, supplément *Voyages* au n° 18 de la revue l'*Expansion.*

d'aujourd'hui », des rencontres professionnelles. Un jeune agriculteur français peut découvrir ou étudier... l'agriculture en Hollande, l'autogestion en Yougoslavie, ou encore la reconversion des agriculteurs autrichiens aux activités du tourisme.

Ainsi, et de plus en plus d'ailleurs, les programmes s'inscrivent-ils dans un cadre dépassant les aspects strictement techniques.

Dans ces « safaris pour techniciens », l'aspect détente n'est pas négligé. On ne saurait, bien entendu, aller dans une région, sans connaître les charmes naturels de son paysage, ni son patrimoine culturel, ou sans avoir des échanges avec les habitants. Pour les optimistes, tout l'arsenal de la coexistence pacifique est là.

Fiche d'informations

I — *Vous travaillez et vous voulez rencontrer vos collègues étrangers.*

Etant donné la diversité et le nombre trop important d'organismes s'occupant de rencontres ou stages professionnels, il ne peut être question de les signaler dans cet ouvrage. Le mieux est de se mettre en contact direct ou demander des renseignements à ou aux :

— *la direction des entreprises,*
— *associations corporatives ou organismes professionnels,*
— *syndicats,*
— *associations d'échanges internationaux spécialisées* dans certaines branches économiques. Par exemple :

Pour les ruraux :
— « **Mouvement Rural Jeunesse Chrétienne** ».
— « **MIJARC** ».
— « **C.V.J.R.** »
— « **Inter-Echanges,** comité d'entente ».

Pour différents secteurs :
— « **APECITA** ».

— *Organismes d'échanges internationaux :*
— « **Office Franco-Allemand pour la Jeunesse** ».
— « **Office Franco-Britannique** ».
— « **Office Franco-Québécois** ».

— « **Offices du tourisme** », particulièrement :
— Japon,
— Indes,
— U.S.A.

II — *Vous êtes étudiant et vous voulez profiter au maximum de votre séjour à l'étranger.*

a) *Sur le plan linguistique,* consultez aux pages suivantes la rubrique :

3. *Les séjours linguistiques.*

b) *Sur le plan économique* (voyages d'études collectifs ou industriels auprès d'entreprises de production ou commerciales, avec possibilité d'obtenir une bourse) :
— adressez la demande à votre chef d'établissement,
— renseignez-vous auprès du « **Comité d'Accueil des Ecoles Publiques en Voyages d'études** ».

Nota : Pour les U.S.A. (avec possibilité de bourse ou aide), contactez directement :
— « **American Field Service** ».
— « **Fondation " J "** ».
— « **Commission Franco-Américaine d'Echanges Universitaires et Culturels** ».

ou écrivez aux :
— « *Services Américains d'Informations et de Relations Culturelles* ».

c) *Sur le plan humain éducatif, ou culturel,* se reporter au chapitre « Dans les Centres Internationaux de Séjour ». Contactez aussi :
— « **Nouvelles Frontières — Feu Vert pour l'Aventure** » (possibilité voyage avec bourse).
— « **Comité d'Accueil Enseignement Public** ».
— « **Union Culturelle pour les Echanges Internationaux** ».
— « **Organisation Internationale d'Echanges Culturels** ».
— « **Centre International de Recherches et d'Echanges Culturels et Techniques « C.I.R.E.C.T. »** (possibilité de bourse).

3. Les séjours linguistiques

Les ateliers linguistiques.

Apprendre l'anglais en Angleterre, bien sûr, c'est l'occasion de bafouiller, de s'empêtrer dans les verbes irréguliers, dans les temps et les modes devant un interlocuteur pressé ou courtois.. Mais la formule a fait ses preuves.

Depuis 1968 surtout, un certain nombre de centres linguistiques expérimentent à l'étranger des méthodes plus attrayantes et, semble-t-il, plus efficaces que les traditionnels cours de vacances.

L'Office Franco-Allemand pour la Jeunesse a tenté, en 1969, une expérience originale : les ateliers linguistiques. Ceux-ci ont fonctionné, en 1970, dans une dizaine de centres de jeunes, ou encore lors de cinq ou six rencontres de jeunes travailleurs, et même dans une vingtaine de centres sportifs.

Les participants, qui ont de 16 à 25 ans, se groupent dès leur arrivée en tandems, comportant un Allemand et un Français. Au bout de quelques semaines, de nouveaux tandems se forment au gré des affinités.

Il s'agit d'un cours de langue facultatif, conçu comme une activité propre au même titre que n'importe quelle autre. Les ateliers disposent d'un matériel pédagogique audiovisuel parfaitement au point. Des cadres spécialisés en contrôlent discrètement l'efficacité.

Les organisateurs sont satisfaits des premiers résultats. Mais, pour eux, la véritable réussite tient au fait qu'un climat de confiance réciproque se crée entre les partenaires au travail. Elle déborde donc le cadre linguistique.

L'immersion totale.

A condition d'en avoir les moyens financiers et d'être assez doué, six semaines suffisent, d'ordinaire, pour « balbutier gentiment avec des interlocuteurs étrangers ».

En France, des spécialistes de la formation linguistique : les professeurs de l'Ecole Normale de Saint-Cloud (près de Paris) et ceux de la Faculté des lettres et des sciences humaines de Besançon ont mis au point des méthodes audio-visuelles. La méthode des premiers est plutôt réservée aux futurs enseignants, celle des seconds, moins livresque et plus pratique, convient davantage à l'apprentissage accéléré de la langue parlée.

Toutes deux sont aujourd'hui menacées par une nouvelle technique : celle de l'immersion totale. Elle convient aux gens pressés et décidés à dépenser une somme importante pour leur perfectionnement tant professionnel que personnel.

L'immersion totale constitue un véritable lavage de cerveau. Dès son arrivée dans le pays dont il veut apprendre la langue, le futur polyglotte voit contrôler le niveau de ses connaissances puis, pendant quatre à six semaines, ses professeurs se relaient auprès de lui, tout au long de la journée. Ils sont au moins trois, sinon quatre, et leurs cours durent quarante-cinq minutes. Même pendant le déjeuner, le dîner, une promenade... les professeurs commentent et posent des questions. L'élève, lui, fait ce qu'il peut, la journée s'achève par une séance en laboratoire. Le soir, l'apprenti linguiste a le droit d'écouter la radio, de regarder la télévision, mais seules les émissions locales sont autorisées. S'il résiste pendant six semaines... les progrès sont prodigieux. Les tarifs du cours également !

4. Les séjours dans les familles

Les séjours au pair.

Les séjours au pair constituent, par contre, le moyen le plus économique pour bien apprendre une langue étrangère. Les jeunes étrangers, dont les demandes sont croissantes, se voient préférer les jeunes étrangères pour veiller sur les enfants. Mais ne sont-elles pas plus maternelles ?

En échange de l'hospitalité et d'un peu d'argent de poche, « l'accueillie » devra seconder la mère de famille. Elle l'aidera dans ses travaux ménagers, mais on ne pourra exiger d'elle de gros travaux. Elle devra faire preuve de bonne volonté et d'initiative. Elle a droit à une chambre individuelle. Elle devra également disposer du temps suffisant pour suivre régulièrement des cours de langue et passer des examens.

La jeune fille au pair a tout intérêt à se mettre en rapports avec les responsables locaux de l'organisme qui l'a fait venir dans le pays. Ils peuvent l'aider à résoudre des problèmes tels que le dépaysement, le changement de rythme de vie.

Le séjour dans une famille est un des moyens les plus attrayants pour se perfectionner dans une langue étrangère. Les témoignages enthousiastes ne manquent pas :

« Matin ou après-midi, nous partions tous les trois en voiture... voir quelqu'un ou quelque chose. C'est ainsi que je fis la connaissance de nombreux Anglais... Mon hôtesse me donnait une carte, me demandait où je voulais aller, ou me donnait rendez-vous quelque part dans un bois sur la côte, avec une amie et ses enfants [1]. »

W. Churchill le disait avec humour : « Le Tout-Puissant, dans son infinie sagesse n'a pas trouvé bon de créer le Français à l'image de l'Anglais. »

1. Témoignage de M. V., 15 ans, *Vacances pour Tous*, n° 162.

Fiche d'informations

I — *Vous désirez simplement un échange de correspondance,* écrivez au :
- « **Service de la Correspondance Internationale** ».

II — *Vous désirez des renseignements sur les échanges individuels inter-familiaux :*
- « **Office National des Universités et Ecoles Françaises** ».
- « **Ligue d'Amitié Internationale** ».

III — *Vous désirez des renseignements sur les possibilités de cours de vacances à l'étranger (dans le monde entier) :* demander le guide « cours de vacances à l'étranger » à :
- « **L'U.N.E.S.C.O.** ».

IV — *Vous désirez effectuer un séjour linguistique à l'étranger (en général, pendant la période des vacances scolaires),*
- en séjournant dans une famille (hôte payant ou au pair),
- en participant à une rencontre internationale (hébergement collectif),

contactez les associations ci-dessous qui proposent une ou plusieurs des formules suivantes :
- *séjour dans une famille :*
  - cours le matin, activités dirigées l'après-midi.
  - deux heures de cours le matin, le reste du temps libre avec la famille.
  - sans cours, ni activités obligatoires.
  - au pair avec cours plusieurs fois par semaine.
- *hébergement collectif :* cours et activités de groupes.

ALLEMAGNE : contactez directement :

- « **Amicale Culturelle Internationale** » (séjour au pair).
- « **Amitié de France** » (hôte payant).
- « **Amitié Mondiale** » (hôte payant ou séjour au pair).
- « **Bureau International de Liaison et de Documentation** ».
- « **Bureau des Voyages Scolaires** ».
- « **Centre de Coopération Culturelle et Sociale** ».
- « **Centre d'Echanges Internationaux** ».
- « **Centre d'Etudes Pratiques** » (plutôt hôte payant).
- « **Club des Quatre Vents** » (séjour au pair).
- « **Comité d'Accueil** ».
- « **Europa** ».
- « **European Students Travel Organisation** » (E.S.T.O.).
- « **Havas Jeunes** » (hôte payant).
- « **Home and Travel Association** ».
- « **Inter-Echanges** ».
- « **Ligue Française de l'Enseignement** ».
- « **Maisons Internationales de la Jeunesse et des Etudiants** ».
- « **O.C.C.A.J.** ».
- « **Organisation de Vacances Scolaires à l'étranger** » (hôte payant).
- « **Organisation Internationale d'Echanges Culturels** ».
- « **Organisation Scolaire Franco-Germanique** ».
- « **Relais Universitaires** ».
- « **Relations Internationales** » (au pair).
- « **Tourisme Scolaire** » (hôte payant ou au pair).
- « **U.N.E.S.C.O.** » (hôte payant).
- « **Vacances Studieuses** ».

Nota : il est possible de se renseigner auprès de :

— « *l'Office Franco-Allemand pour la Jeunesse* », pour des séjours particuliers tels ceux d'*initiation à la découverte de la civilisation allemande*, avec cours de langue (réservés aux scolaires, hébergement en hôte payant, cours et visites collectives).
— « **C.C.C.S.** », **Centre de Coopération Culturelle et Sociale.**
— « **Comité d'Accueil des Ecoles Publiques** ».
— « **Contacts** ».
— « **Echanges Scolaires Franco-Allemands** ».
— « **Inter-Echanges** ».
— « **Ligue de l'Enseignement — Service Vacances** ».

ANGLETERRE :

— « **Amicale Culturelle Internationale** » (séjours au pair — travail rémunéré dans l'hôtellerie pour les garçons — hôte payant).
— « **Amitié de France** (hôte payant) — *Bureau Catholique* ».
— « **Amitié Internationale des Jeunes** » (hôte payant).
— « **Amitié Mondiale** ».
— « **Bureau des Voyages Scolaires** » (hôte payant).
— « **Centre d'Echanges Internationaux** ».
— « **Centre de Coopération Culturelle et Sociale** ».
— « **Centre d'Etudes Pratiques** » (hôte payant).
— « **Centre Laïque de Tourisme Culturel** » (hôte payant).
— « **Cité Club Universitaire** ».
— « **Club Européen** » (hôte payant ou au pair).
— « **Club des Quatre Vents** » (hôte payant).
— « **Club du Relais Universitaire** » (hôte payant).
— « **Comité d'Accueil des Elèves des Ecoles Publiques** » (hôte payant).
— « **English Home Holidays** » (hôte payant et au pair).

- « **ESTO** ».
- « **Etudes Vacances** ».
- « **Havas-Jeunes** » (hôte payant).
- « **Inter-Echanges** » (hôte payant).
- « **Ligue de Langues Vivantes** ».
- « **Ligue Française de l'Enseignement et de l'Education Permanente** » (guide vacances).
- « **O.C.C.A.J.** ».
- « **Office National des Universités et Ecoles Françaises** ».
- « **Organisation Internationale d'Echanges Culturels** » (hôte payant).
- « **Organisation Scolaire Franco-Britannique** » (hôte payant).
- « **O.V.S.E.** », **Organisation de vacances scolaires à l'étranger.**
- « **Relais Universitaires** ».
- « **Relations Internationales** » (au pair).
- « **Séjours Educatifs et Culturels en Angleterre** ».
- « **Séjours Educatifs et Culturels pour les Jeunes** » (hôte payant).
- « **Touring-Club de France** » (hôte payant).
- « **Tourisme Scolaire** » (hôte payant ou au pair).
- « **U.N.E.S.C.O.** ».
- « **Vacances Scolaires en Angleterre** » (hôte payant).
- « **Vacances Studieuses** » (hôte payant).

- Pour les cours d'été à Londres ou en province (Brighton, Cambridge, Oxford),
- ou les séjours linguistiques à long terme,
- et ceux liés à des séjours au pair,

écrivez à :
- « *British Travel* ».

ou directement en Angleterre à :
- « **Central Bureau of Educational Visits and Exchanges** », pour demander la brochure « La Grande-Bretagne accueille les jeunes ».

Nota : Vous voulez vous informer de la vie en Angleterre avant de partir, lisez ces deux ouvrages :

- « **Comment vivre chez les Anglais** » (**B. Gilles**).
- « **Guide du séjour au pair en Grande-Bretagne** » (Editions Néret).

AUTRICHE :

- « **Association pour les Loisirs et les Echanges de la Jeunesse** ».
- « **Amicale Culturelle Internationale** », (au pair).
- « **Amitié Mondiale** », (au pair).
- « **Bureau des Voyages de la Jeunesse** ».
- « **Centre d'Echanges Internationaux** ».
- « **Comité d'Accueil des Elèves des Ecoles Publiques** ».
- « **European Students Travel Organisation** » (ESTO).
- « **Office National des Universités** ».
- « **Organisation Scolaire Franco-Germanique** ».
- « **Tourisme Scolaire** », (hôte payant et au pair).
- « **Vacances Studieuses** ».

CANADA :

- « **Relais Universitaires** ».
- « **Relations Internationales** » (au pair).

ECOSSE :

- « **Amitié Mondiale** ».
- « **Centre d'Etudes Pratiques** ».
- « **ESTO** ».
- « **Relations Internationales** » (au pair).
- « **Vacances Studieuses** ».

ESPAGNE :

- « **Amicale Culturelle Internationale** » (au pair).
- « **Amitié de France** » (hôte payant).
- « **Amitié Mondiale** » (hôte payant et au pair).
- « **Association Culturelle Franco-Espagnole** ».

- « **Bureau des Voyages Scolaires** » (hôte payant).
- « **Centre d'Echanges Internationaux** ».
- « **Centre d'Etudes Pratiques** ».
- « **Centre Laïque de Tourisme Culturel** ».
- « **Club des Quatre Vents** ».
- « **ESTO** » (hôte payant).
- « **Havas-Jeunes** ».
- « **Home and Travel Association** » (hôte payant).
- « **Inter-Echanges** ».
- « **Organisation Internationale d'Echanges Culturels** ».
- « **Organisation Scolaire Franco-Espagnole** ».
- « **Relais Universitaire** ».
- « **(The) Experiment in International Living** ».
- « **Tourisme Scolaire** » (hôte payant ou au pair).
- « **Vacances Studieuses** ».

AUX ETATS-UNIS :

— *Cours d'été dans une université*

- demandez la liste des universités américaines (étant donné le nombre important, précisez la région) qui organisent des cours destinés aux étrangers, à :
- « **Ambassade des Etats-Unis** — *Service des Relations Culturelles* ».
- contactez directement :
- « **(L')Association France-Amérique** ».
- « **Centre d'Etudes Pratiques** ».

— *Cours d'été dans un organisme spécialisé :*

- « **American Language and Culture Institute** ».
- « **ELS Language Center** ».
- « **International Center of Language Studies** ».
- « **Institute of Modern Languages** ».

— *Séjours linguistiques :*

— « **Centre d'Etudes Pratiques** ».
— « **Club des Quatre Vents** ».
— « **Council of International Educational Exchange** ».
— « **ESTO** ».
— « **Office National des Universités** ».
— « **Organisation Scolaire** ».
— « **Relations Internationales** » (au pair).
— « **Relais Universitaire** ».
— « *(The)* **Experiment in International Living** ».
— « **Tourisme Scolaire** » (au pair).
— « **Vacances Studieuses** ».

Nota :

— *Vous désirez obtenir une bourse d'études aux U.S.A. :*
  - dans l'enseignement secondaire : (**Ambassade des Etats-Unis**, Service des Relations Culturelles) ;
  - dans l'enseignement supérieur : (quelques mois de stages comme chercheurs, dont les travaux portent sur la civilisation et la culture américaine, mais il faut avoir le titre d'agrégé !).
  - — « **Commission Franco-Américaine d'Echanges Universitaires et Culturels** (un an comme « graduate student »).
  - — « **Direction Générale des Affaires Culturelles — Service des Boursiers et Stagiaires** » (un an comme « graduate student »).

— *Vous désirez obtenir une bourse d'enseignement aux U.S.A.* (un an au moins), dans une « High School », un « College », ou une université :
  - — « **Commission Franco-Américaine d'Echanges Universitaires et Culturels** ».

— *Vous désirez recevoir une bourse de « stagiaire » aux Etats-Unis :*
  - avoir moins de trente-cinq ans, être diplômable ou diplômé dans certains secteurs du social, de la médecine, du bâtiment :

— « **Association Franco-Américaine Atlantique** ».
- • avoir entre dix-huit et vingt-quatre ans, être étudiant en questions économiques :
— « **American Field Service** ».
- • être un travailleur social :
— « **Bourses Cleveland** ».

IRLANDE :

— « **Bureau des Voyages Scolaires** ».
— « **Centre d'Etudes Pratiques** ».
— « **Club des Quatre Vents** ».
— « **ESTO** ».
— « **Relais Universitaire** ».
— « **Relations Internationales** » (au pair).
— « **Touring-Club de France** ».
— « **Tourisme Scolaire** » (hôte payant).
— « **Vacances Studieuses** ».

ITALIE :

— « **Amicale Culturelle Internationale** ».
— « **Amitiés de France** ».
— « **Amitié Mondiale** » (hôte payant ou au pair).
— « **Bureau des Voyages Scolaires** ».
— « **Centres d'Echanges Internationaux** ».
— « **Centre d'Etudes Pratiques** ».
— « **ESTO** » (hôte payant).
— « **Home and Travel Association** ».
— « **Organisation Internationale d'Echanges Culturels** ».
— « **Relations Internationales** ».
— « **Tourisme Scolaire** » (hôte payant ou au pair).

PAYS-BAS :

— « **Vacances Studieuses** ».

SUISSE :

— « **Vacances Studieuses** ».

U.R.S.S. :

— « **Centre de Coopération Culturelle et Sociale** ».
— « **Centre Laïque de Tourisme Culturel** ».
— « **Quinze-Club** ».

V — *Vous désirez suivre des stages linguistiques intensifs en France :*

— « **Centre Audio-Visuel de Royan** ».
— « *Centres d'Immersion à Paris et dans plusieurs pays d'Europe occidentale* ».
— « **Cetravel — Didasco** ».
— « **Ecole Berlitz** ».
— « **Institut des Langues de Besançon** » (ouvert toute l'année — stages de six semaines « 6 heures ✕ 5 jours ✕ 6 semaines », quelquefois un peu plus).

VI — *Pour apprendre soi-même (livres, disques, etc.) :*

— « **Librairie Orientale Geuthner** ».
— « **Méthode Assimil** ».

VIII. Avant le départ

1. Que faut-il emporter en voyage ?

Avant de partir, il y a tant de choses à faire : des papiers
à remplir, à signer, la maison à ranger, le compteur
d'électricité à débrancher, l'anti-mites à vaporiser dans les
placards... Mais la préparation des bagages est toujours
une hantise à la veille du départ. L'obsession du « j'oublie
toujours ce que j'oublie d'habitude », et l'appréhension d'un
changement brusque de vie nourrissent l'inquiétude.

Certains businessmen internationaux prennent l'avion
comme d'autres prennent le train ou le métro. Certains
de ces « hommes volants » parcourent dans leur année
cinq ou six cent mille kilomètres. Ils l'avouent : pour eux,
« les hôtesses perdent leurs charmes, et les escales, leurs
mystères. L'essentiel est de préserver ses petites habitudes [1] ».

Dans leurs bagages, en plus de leurs documents professionnels, on trouve immanquablement : des brosses (à
dents, à chaussures, à vêtements, à cheveux), au moins un
livre, pour les soirées solitaires, des médicaments pour
faire digérer, du café soluble quand les « spécialités orien-
tales ne passent plus », enfin un imperméable.

1. Journal de bord d'un manager volant, Russel F. Anderson, dans
Voyage, supplément n° 18 de l'*Expansion.*

L'équipement de base.

L'équipement idéal et universel n'existe pas. Pour les hommes d'affaires, tout rentre dans une valise, pour les auto-stoppeurs et les globe-trotters un sac en toile suffit, pour d'autres Ulysses modernes, la caravane est toujours trop petite...

Des familles, grecques, espagnoles... se déplacent avec des cabas qui débordent de tous côtés. S'y entassent, en-cas, bouteilles de limonade, tricots pour la fraîcheur du soir... Tout a été prévu, sauf le transport du chargement. Le paysan turc traverse l'Anatolie en empruntant un camion puis un autre, mais il garde toujours avec lui ses couvertures cousues à un matelas.

Où qu'il aille, le beatnik suédois a mis tout son équipement dans un sac à dos U.S., de couleur kaki. C'est une teinte, sur laquelle la poussière et la crasse accumulées ne se verront pas et qui résistera à la pluie, à la neige et au soleil.

S'il est important de bien remplir ses valises, il faut aussi songer à leur solidité et à leur apparence. Il est également nécessaire de pouvoir les identifier facilement.

Tout le monde sait combien les valises se ressemblent. Aussi, à l'embarquement, au débarquement, à la douane... chacun cherche-t-il les siennes ! Les substitutions, volontaires ou non, ne sont pas rares. Voilà le moyen le plus sûr de gâcher un séjour.

Pour les reconnaître, faut-il, comme certains habitués des aéroports, acheter des valises rouge cerise ou jaune orangé ? Ce n'est pas nécessaire. Des étiquettes caractéristiques collées en bonne place suffisent pour les retrouver. Cette petite précaution permet d'éviter des pertes de temps et de fortes émotions.

Un spectacle de plus en plus rare à notre époque : celui d'un homme courant après sa femme car « elle a toutes les affaires de son mari dans son sac ». Certes les hommes ont toujours et ont toujours eu les poches bourrées de choses inutiles, mais ils ont aujourd'hui, en plus, un sac de voyage. Ainsi, à tout instant, documents douaniers et sanitaires, travellers-chèques, stylo à bille, brosse à dents... sont à leur portée.

2. Prévoir le temps qu'il fera

En matière d'équipement, il faut toujours suivre les conseils de ceux qui reviennent du pays où l'on veut se rendre. Mais, en ce domaine, il convient de faire preuve de discernement. Bien des surprises attendent les voyageurs qui ne savent pas la géographie. Combien, ignorant l'existence de deux hémisphères, ont grelotté à Lima, au mois d'août, ou sous la pluie battante de juillet à Nairobi.
Mieux vaut, avant de partir, téléphoner à la Météorologie Nationale. Mais à l'arrivée, ne poussez pas un cri de surprise en lisant les indications du thermomètre. Contentez-vous de convertir les degrés Fahrenheit en degrés centésimaux.
Ces petites merveilles que sont les cartes Michelin donnent le régime climatique des pays d'Afrique. C'est simple. A Douala, quelle que soit la saison, il pleut. Emmenez donc un imperméable... et un parapluie de secours. Au Cap (Cape Town), il faut prévoir un maillot de bain pour le mois de janvier et des vêtements de pluie pour juillet. A Djibouti, nul moyen de se tromper de costume, l'aiguille du pluviomètre ne quitte pour ainsi dire pas le zéro !

3. Prévoir l'avenir

Rien n'est plus sensible que le nez d'un douanier !
Un bagage est-il ouvert, il saura en reconnaître le propriétaire. Il distinguera celui de l'insouciant, qui, en dernière minute, aura ajouté ses chaussettes sur le dessus

de sa valise, de celui du trafiquant, au désordre savamment étudié.

Mais si les douaniers ont du flair, ils peuvent se tromper : « A la frontière suisse, une de mes camarades a été suspectée, plusieurs heures. Son arrache-cils ressemblait étonnamment à un appareil employé en gynécologie. » Cependant, il faut toujours laisser les « spécialistes » s'apercevoir de leurs erreurs. Sinon, l'on risque d'être « plongé » dans des situations embarrassantes et d'y demeurer longtemps.

« Au port d'Istambul, nous avons connu de sérieux ennuis. Au cours d'un voyage de plus de neuf mois au Moyen-Orient, nous avions accumulé des échantillons géologiques. Nous souhaitions, bien sûr, les faire parvenir en France. Apercevant des sables colorés en provenance d'Israël et flairant là « de la drogue », le douanier appela son brigadier. Le brigadier alerta le chef de poste qui, finalement, alerta un directeur général des douanes. Il était indispensable de mettre ce haut fonctionnaire au courant d'une trouvaille de cette importance !

Après bien des palabres, l'on convint qu'il s'agissait de sables colorés. Mais au moment de refermer la caisse où se trouvait cet échantillon géologique, le douanier tomba en arrêt devant deux enveloppes. Elles lui parurent suspectes. C'était un cadeau offert par les enfants du Kibboutz de Beit Quama, en Israël. Les gosses nous avaient fait promettre de ne pas ouvrir ces enveloppes avant notre retour en France. Contraints par la loi turque, nous dûmes violer notre promesse. Notre directeur des douanes découvrit alors qu'il s'agissait de sucettes [1] ! »

Des erreurs à ne pas commettre à la douane.

Cette affaire se termina à notre satisfaction, mais il n'en est pas toujours de même. Il vaut mieux éviter de passer en

1. « Un an au jour le jour », carnet d'auto-stoppeur de l'auteur, non publié.

douane certains objets, tels des armes ou encore des souvenirs archéologiques. Ils attireront toujours les soupçons. Il en est de même des papiers à en-tête administrative, même si leur teneur est peu importante.

Il y a, enfin, des erreurs à ne pas commettre : tel distrait laisse bien en vue dans ses bagages ou tient à la main un livre imprimé en russe, lorsqu'il débarque dans un des aéroports de New York. Tel autre sourit quand un douanier irakien découvre dans ses affaires, une brochure portant pour titre *Bienvenue en Israël*. Il reste, dans ce cas, une seule chance : sortir un certificat de chrétienté !

On évitera bien sûr tout ennui en demandant à l'office du tourisme ou au consulat du pays d'accueil les conditions d'admission. En plus de la liste des formalités à remplir pour pénétrer, l'on trouvera celle des objets interdits et ceux dont l'entrée est soumise à certaines restrictions.

4. S'immuniser contre la fatalité

L'assurance-transport.

Autrefois, on partait et c'était tout. Arrivera ce qui pourra, on verra bien sur place. Livingstone n'a-t-il pas été ramené, soigneusement boucané, à Zanzibar, son point de départ ?

Aujourd'hui, on meurt vite et bien. L'avion explose à douze mille mètres d'altitude, ou au ras de la piste d'envol, la voiture percute un platane à cent cinquante à l'heure. Mais l'assurance jouera. Il n'y a donc plus rien à craindre.

Les voyageurs aériens en bénéficient automatiquement. Mais, pour certains, cette assurance ne suffit pas. Pour quelques francs, instantanément, comme dans les petites cabines d'assurances d'Orly, on est garanti pour la durée du vol à condition que le voyage ne dure pas plus de douze heures et que l'on ne parcourt pas plus de huit cents kilomètres. Toutefois, l'on peut aussi s'assurer et toujours pour un capital variable, pour une durée de 24 heures à trois mois, sans limitation de kilométrage.

L'on est ainsi assuré contre toutes les variétés possibles d'accidents : du décès à l'incapacité. L'on vous garantit aussi contre la perte de vos bagages. Mais, attention, ne disparaissez pas n'importe comment. Ne vous avisez pas de mourir lors d'un cataclysme naturel (tremblement de terre ou éruption volcanique), d'une guerre civile ou étrangère, ni au cours d'une explosion atomique, les bénéficiaires de votre contrat ne toucheraient rien.

Il en sera de même si, au cours d'un voyage, vous subissez un accident causé par la pratique d'un sport violent. Il vous faudra payer une surprime pour pratiquer l'âme sereine la moto ou le football, pour participer à un safari ou à des régates en bateau à voile.

Si votre heure dernière n'a pas encore sonné, si vous êtes seulement blessé, vous toucherez une pension d'incapacité.

Rassurez-vous, tout est prévu :

— 20 % pour le pouce droit,

— 7 % seulement pour l'auriculaire ; consolez-vous, si vous êtes gaucher, en pensant que l'on intervertit le barème main droite, main gauche.

En cas de perte ou de vol des bagages, l'assuré ne pourra prétendre à un remboursement supérieur à dix mille francs. S'il veut davantage, il devra payer une surprime. La garantie s'applique aux bagages remis contre le récépissé à une entreprise de transports (terre, mer ou air) mais elle couvre aussi les objets transportés isolément, par exemple, l'appareil de photos, le sac de voyage... Par contre, les billets de banque, les titres, les timbres-poste, les billets de voyage en sont exclus. Le même triste sort attend les bagages laissés dans des voitures décapotables ou non fermées, ou même bien fermées, mais laissées en stationnement dans la rue entre vingt-deux heures et sept heures le lendemain.

L'assurance-assistance.

Depuis quelques années, le voyageur dispose d'une nouvelle forme de tranquillisant. L'assurance-assistance lui offre des prestations efficaces :

— rapatriement par avion sanitaire, avec infirmière ou médecin à bord, en cas d'accident, de maladie, de blessures très graves ;

— rapatriement par chemin de fer pour les voyageurs, dont la voiture est immobilisée,

— rapatriement du véhicule non réparable, dans le délai de cinq jours après la panne ou l'accident. Un chauffeur est « fourni » au cas où le conducteur habituel se trouve hors d'état de conduire.

Ce n'est pas tout, l'assuré peut bénéficier dans les cas dont nous venons de parler d'un remboursement — limité cependant — des frais d'ambulance et d'hospitalisation, d'honoraires de médecins...

Même à l'autre bout de la planète, l'assuré aura la possibilité de recevoir, dans des délais minimum, les pièces détachées introuvables dans le pays où il a cru « faire naufrage ».

5. Penser à ses hôtes.

Lorsque l'on part en voyage pense-t-on à emporter le « petit quelque chose » qui pourra faire plaisir à ses hôtes occasionnels ou prévus ? Ce n'est pas certain.

Est-ce difficile à choisir ? Pas tellement. Il existe de modestes présents. Ils font plaisir et la façon de les remettre double leur valeur ;

— une chemise en nylon, un livre de littérature française peuvent convenir à un étudiant d'Afrique du Nord ou d'un pays de l'Est.

— des produits de beauté à telle amie tunisienne,

— des timbres-poste, des spécialités locales à une famille scandinave,

— une bouteille de champagne accompagnée ou non d'un camembert, fera les délices d'un correspondant à Londres,

— des médicaments (attention aux doses), des vêtements, un stylo « made in France » seront très appréciés dans certains pays du Moyen-Orient et d'Asie en général,

— la photographie de famille, que vous remettrez quelques instants après l'avoir prise avec un Polaroïd, sera l'un des présents les mieux accueillis. Ce présent pourra être coûteux, car... tout le village voudra peut-être passer devant l'objectif.

Fiche d'informations

I — *Informations météorologiques :*

- « **Météorologie Nationale, Service des Renseignements** ».
- Indications météorologiques pour certaines capitales dans le journal « *International Herald Tribune* ».
- **Cartes Michelin** (pour l'Afrique), n°ˢ 153, 154 et 155.

II — *Conditions d'entrée dans les pays :* (se renseigner sur des documents tenus à jour) :

- « *Corps Consulaires* » de l'Ambassade concernée.
- « **A.T.I.T.R.A.** — *Formalités de police* ».
- **Automobile Club de France** » (annuaire de route de l'année en cours).

III — *Assurances* (avec ou sans véhicule personnel) :

Une carte verte internationale d'assurance automobile est remise sur demande, par sa compagnie habituelle d'assurance. Attention, toutes les compagnies ne garantissent pas pour tous les pays. Pour tous renseignements, s'adresser au :

- « **Bureau Central Français** ».

   Pour s'assurer (soi-même et son véhicule) pour l'Europe plus la Tunisie :
- « **Europe Assistance** ».

   Pour le monde entier :
- « **Sports et Tourisme** ».
- « **L'Automobile Club de France** » procure à ses membres un document d'assistance automobile internationale.

— « **Le Touring Club de France** » fournit un livret d'entraide internationale.

Nota : La plupart des pays proposent une assurance automobile aux frontières (le véhicule personnel immatriculé à l'étranger est interdit en Chine).

IV — *Vaccinations :*

Pour être en règle sur le plan sanitaire, les vaccins pouvant être exigés aux frontières d'entrée doivent obligatoirement être enregistrés, établis et authentifiés selon des modalités fixées par l'Organisation Mondiale de la Santé, sur *un carnet international de vaccinations* (le demander à la Préfecture — les médecins en ont quelques-uns et les Instituts Pasteur toujours).

Aucun vaccin n'est exigé en Europe, mais :

— Pour les passagers se rendant en Amérique (Nord, Centre ou Sud), l'unique vaccin exigé est le vaccin antivariolique.

Aucun vaccin n'est exigé à l'entrée en Guyane (séjours de moins de quinze jours), Martinique et Guadeloupe en provenance de France.

— Pour les passagers se rendant en Asie ou en Océanie, en plus de la vaccination antivariolique, de nombreux pays exigent le vaccin anticholérique.

— Pour les passagers se rendant en Afrique, la plupart des pays exigent en plus du vaccin antivariolique, le vaccin antiamarile (fièvre jaune).

Nota : Au retour en France de la plupart des pays d'Afrique, d'Asie et de certains territoires d'Amérique du Sud et du Centre, sont exigés les vaccins anticholériques (Asie, Océanie), et antivarioliques.

Pour tous renseignements complémentaires, s'adresser à :

— « **A.T.I.T.R.A.** » (fiche formalités sanitaires).
— « **Institut Pasteur** ».
— « **Air France, service médical** ».

V — *Responsabilités d'un groupe de mineurs (mineurs non accompagnés de la personne investie de la puissance paternelle ou du droit de garde) :*

— *Si la carte d'identité est suffisante :* vérifier sa validité, et si elle est accompagnée d'une attestion d'autorisation de sortie du territoire métropolitain (autorisation délivrée et visée par le Commissariat de police ou la Mairie du domicile).

— *Si le passeport est nécessaire :* possibilité de faire établir un passeport collectif (quand le mineur en a déjà un, vérifier avant le départ si le document est toujours valable et s'il le restera au cours du séjour.

— joindre également l'autorisation de sortie du territoire).

— *Pour un camp de vacances de jeunes implanté à l'étranger :* demander l'imprimé spécial de déclaration de camp à l'étranger, au :

— « **Service de la Jeunesse, des Sports et des Loisirs** » de votre département.

VI — *Obtention de divers documents :*

a) *Passeport :* c'est la pièce officielle d'identité internationale reconnue dans le monde entier (du moins, en ce qui concerne les ressortissants français !).

— Ne pas attendre la dernière minute pour le faire établir ou proroger.

— Adresser sa demande ou se présenter directement au Commissariat de Police ou à la Mairie de sa ville, qui remettra un imprimé spécial à remplir (pour gagner quelquefois un temps précieux, se présenter avec deux photographies d'identité et se rappeler de la date — exacte ! — de naissance de ses parents.

b) *Carte d'identité nationale :* se présenter directement au Commissariat de Police (quand il y en a un) ou à la Mairie pour remplir la demande.

c) *Visas :* préciser toujours sur votre demande s'il s'agit d'un visa de transit, de tourisme ou de séjour (pour les résidents). On les obtient auprès des Corps Consulaires des **Ambassades** (voir liste des Ambassades à l'index alphabétique).

d) *Carnet international de vaccinations :* voir précédemment à vaccinations (page 126).

e) *Carte verte internationale d'assurance automobile :* voir précédemment à assurances (page 125).

f) *Passavant :* ce document est délivré à la douane pour sortir de France du matériel (appareils photographiques, bijoux, magnétophones, etc.).

g) *Permis de conduire international :* il est établi à la Préfecture et n'est pas toujours exigé car le permis français à trois volets est souvent suffisant, mais... mieux vaut l'avoir.

h) *Carnet de passage en douanes :* c'est un permis d'importation temporaire de véhicule. Dans certains pays, cela évite de payer un cautionnement important. Se renseigner auprès des bureaux départementaux de :

— « *L'Automobile Club* »,

ou écrire directement à :

— « **Automobile Club de France** », siège social,

ou encore à :

— « **Touring Club de France** ».

i) *Acte de francisation (pour navires de mer) :* si le bâtiment correspond à la qualité de navire de mer, le faire inscrire au bureau de douane du port d'attache. Si le port n'est pas encore choisi, la demande de francisation peut quand même être adressée sur imprimé spécial à la Recette Principale des Douanes du port maritime la plus proche du lieu d'achat, ou encore au :

— « **Service de Jaugeage Maritime** ».

j) Divers documents de renseignements (utiles mais non indispensables avec un véhicule) :

— annuaire de route réédité et mis à jour chaque année par l'**Automobile Club de France,**
— en dehors de l'Europe, un catalogue des pièces détachées (avec leurs numéros de références) peut être bien utile, le demander à son concessionnaire.

k) *Documents pouvant être utiles dans des cas très particuliers* (troubles militaires ou civils au Moyen-Orient, certains pays d'Afrique Orientale, etc.) :

— certificat de chrétienté, délivré par le responsable religieux de sa paroisse d'origine ou du corps consulaire ;
— stock de photographies d'identité. Si vous avez à traverser beaucoup de pays et à demander les visas au fur et à mesure, prévoyez des photographies d'identité (le nombre demandé peut varier de une à six par personne pour un seul visa).

l) *Imprimé de prise en charge à l'étranger des frais médicaux* (Communauté européenne). Le formulaire spécial délivré par la Caisse Primaire Centrale de votre région permet d'obtenir dans les pays de la Communauté européenne, la prise en charge de ses frais médicaux par l'organisme de sécurité sociale du territoire intéressé.

— emporter ce formulaire avec soi est une précaution qui peut rendre service, et éviter ainsi des complications administratives et des remboursements longs à venir ;
— pour obtenir ce formulaire en France, présenter les mêmes documents que pour une prise en charge normale ;
— carte d'immatriculation à la **Sécurité Sociale ;**
— bulletin de salaire du mois précédant le départ ;
— pour les ayants droit (conjoint, enfants) : livret de famille ou fiche familiale d'état civil.

Des renseignements complémentaires peuvent être demandés à :

— « **Sécurité Sociale** », siège social à Paris.

m) *Carnet international de camping ; s'adresser à :*

— « **Fédération Française de Camping et de Caravaning** ».

VII — *Equipement* (un exemple particulièrement étudié : matériel nécessaire au Raid Paris-Tokio en 2 CV, 1956-1957 :

— Une voiture 2 CV, 425 cm³. Type Export, sans embrayage centrifuge, avec transformations suivantes faites par les Etablissements Besnard et Delacroix à Ivry-sur-Seine :

- — renforcement du berceau et des bras de suspension avant,
- — pose d'un réservoir auxiliaire à l'avant, de neuf litres,
- — pose d'une malle,
- — niveau d'essence électrique,
- — éclairage intérieur,
- — pose d'amortisseurs Progress (essentiel pour mauvaises routes, suppriment le tangage),
- — éclairage sous capot,
- — pose d'antibrouillards, de phares arrières, phare chercheur Marchal,
- — sièges avant séparés,
- — une roue de secours supplémentaire (posée sur le capot),
- — poste de radio, Radiomatic, six lampes,
- — cinq pneus supplémentaires 135 × 400 (je conseille les pneus neige, beaucoup plus solides),
- — dix chambres à air,
- — nécessaire à vulcaniser,
- — la caisse à outils contenait, outre les jeux de clefs :
  - — bougies,
  - — cardans, bobines, charbons de dynamos, pièces

de carburateur Solex, roulements, conduits de Loockeed, un cric supplémentaire, une corde de cinq mètres, une boîte avec boulons, écrous, lampes de rechanges, baladeuse, amortisseurs Progress de rechange, un extincteur, des chaînes, des jerrycan en matière plastique,
— gonfleurs.

— Camping :
  — une tente deux places avec double toit Wardel,
  — deux sacs de couchage,
  — deux réchauds camping-gaz type bleuet avec cinquante cartouches de rechange,
  — matériel de cuisine,
  — deux matelas pneumatiques,
  — sac à fermeture éclair,
  — nourrices toilées,
  — deux chaises et une table,
  — deux cuvettes de toile,
  — deux thermos de deux litres,
  — deux lampes magnéto,
  — une machine à écrire Remington Noiseless portative.

VIII — *Véhicules :*

Pour une traversée du Sahara par les pistes balisées et en saison sèche — piste Tamanrasset-Zinder (Niger), par exemple — les véhicules « ordinaires » tels que Combi VW, 2 CV Citroën, R4 Renault, font très bien l'affaire à condition de rouler prudemment (attention aux trous à poussière, aux boules végétales dures comme des racines d'arbres).

On peut signaler quelques-uns des véhicules valables pour une utilisation pénible en Afrique ou en Asie :
  — Le « B.M.W. Amphicar » (Allemagne), amphibie.
  — Le « Minimogg tout terrain ».
  — Les modèles Land-Rover (camionnette et camion), quatre ou six roues motrices.
  — Certains modèles Toyota (Japon).

IX. L'hospitalité
et ses problèmes

1. L'accueil national

Trop de touristes.

Au cours d'une réunion de la F.A.O. [1] en 1970, le directeur des Eaux et Forêts espagnol s'est plaint que son pays attirait trop de touristes. « L'Espagne, qui a une population de trente-trois millions d'habitants, a reçu vingt-trois millions de touristes, ce qui est trop pour nous. Ils créent des problèmes qui commencent à nous dépasser [2]... »
Tous les pays n'en sont pas encore là, fort heureusement. Cependant, certains, comme l'Irlande ne désirent pas attirer la foule. A contre-courant de ce que souhaitent beaucoup d'autres, la belle île sauvage préfère accueillir les visiteurs, les vrais : ceux qui se promènent dans les landes, logent chez l'habitant, vont à la pêche, participent aux fêtes locales.
Ainsi d'une nation à l'autre, les conceptions de l'accueil sont différentes. Chaque Office national a la lourde responsabilité de présenter son pays au reste du monde. Il a évidemment le devoir de le faire apparaître sous son jour le plus favorable.

1. Organisation des Nations Unies pour l'Alimentation et l'Agriculture.
2. Information parue dans la presse le 11-9-1970.

De même, les modalités de l'accueil sont différentes. Israël organise, à l'intention des touristes, des forums où l'on peut poser des questions. Des spécialistes y répondent... avec habileté. Aux Indes, tout visiteur est convié à des congrès internationaux. Il peut y assister librement à la seule condition de ne pas y intervenir. La Suède, elle, propose des « cinq à sept » sur simple demande.

2. « Sweden at Home » (la Suède chez elle)

Le Service, appelé « La Suède chez elle », a été créé en 1954, en s'inspirant d'une idée danoise. Son objectif était d'ouvrir aux visiteurs étrangers les portes des foyers suédois, pour discuter d'intérêts communs et échanger des points de vue. Il ne s'agissait nullement de loger les étrangers chez des particuliers. En Suède, comme ailleurs, les appartements modernes ont un espace réduit ; l'aide ménagère est difficile à trouver. Pour ces raisons, la « Suède chez elle » n'organise des rencontres que pour la durée d'une soirée, à la rigueur d'un après-midi.

Cette formule s'est révélée fort heureuse dès le début. Rien qu'à Stockholm, actuellement, plus de six cents familles, appartenant à l'organisation, sont disposées à accueillir des touristes chez elles. Leurs membres exercent des professions diverses et parlent les langues étrangères les plus courantes.

Les organisations laissent à leurs adhérents le libre choix de la forme de réception. Ceux-ci ne sont pas tenus de servir le repas du soir. On leur évite ainsi toute contrainte. Quant aux invités, ils ne sont tenus à aucun frais. Si, bien sûr, ils ont envie d'offrir des fleurs à la maîtresse de maison, le geste sera certainement apprécié.

Arrivant dans une ville qu'il désire visiter et dans laquelle il souhaite rencontrer une famille suédoise, le touriste doit obligatoirement prendre contact avec les responsables de « Sweden at Home ». L'organisation enregistre sa demande et prend note des indications qu'il fournit (nom, adresse, profession, nationalité, âge, intérêts...). Dans les vingt-quatre heures, l'intéressé peut venir chercher son invitation : les responsables l'ont « introduit » chez les hôtes qui semblent le mieux lui convenir.

L'idée de ces rencontres revient au Danemark, nous l'avons dit. Mais, dans ce pays, il faut présenter sa demande au Conseil du Tourisme. Le délai d'attente est un peu plus long : quarante-huit heures. De plus, les visites ne sont pas organisées pendant les week-ends, ni au moment des fêtes de Noël, de Pâques et de la Pentecôte. Les possibilités de rencontre sont limitées durant les mois de juillet et d'août, pendant lesquels les Danois partent en vacances. Elles sont réservées aux ménages de plus de trente ans. Une famille danoise peut vous recevoir même après vingt heures (pas de repas), si vous vous présentez en personne au bureau d'inscriptions. Mais celui-ci n'autorise pas les visites en groupe.

Les Etats-Unis proposent un programme semblable, patronné par « les Américains chez eux ». Dans soixante-huit villes, certaines familles reçoivent des étrangers, durant quelques heures, généralement après le dîner, sur simple appel téléphonique.

3. Apporter son toit

Tous les pays méditerranéens, notamment l'Egypte, le Liban, la Turquie et les trois Etats d'Afrique du Nord accueillent comme une manne céleste les touristes venus en avion. Ils savent que, d'ici dix ans, tous ces visiteurs reviendront avec leurs caravanes.

Fort heureusement, l'ère du camping industriel, celle des rassemblements concentrationnaires de campeurs n'a pas encore sonné pour ces pays. Mais la ruée prévisible a déjà commencé.

L'Egypte a ouvert son premier camping (mille places) en

1970. Dans quelques années, les places, au bord du Nil ou
aux pieds du Sphinx, se paieront cher. Cette même année,
la Tunisie a créé deux campings vraiment aménagés. Elle
se rend compte qu'il lui faudra prévoir pour l'avenir beaucoup de places ombragées.

Camping et caravaning.

Chaque pays a ses habitudes et sa réglementation en matière
de camping et de caravaning.
Aux Etats-Unis, l'on reçoit les campeurs à très bon marché, souvent gratuitement, sur les terrains aménagés.
En U.R.S.S., en Roumanie, l'on peut arriver les mains
vides. On loue sur place tente, lit, draps, vaisselle, etc.
Dans chaque ville où sont prévus des circuits (soit en voiture particulière, soit en car de l'Intourist), une excursion
gratuite, avec guide-interprète est offerte aux visiteurs. En
Hongrie, l'on trouve presque toujours en location sur le
terrain, tente et châlet. Ainsi l'on peut choisir suivant le
temps.
Il y a des pays où la place ne manque pas. Chacun y arrive
librement avec son matériel. Mais, s'il y a des habitants
dans le voisinage, il convient de leur rendre une visite afin
de leur demander un accord de principe. Cette visite est
fort appréciée en général. C'est le cas en Suède, en Laponie finlandaise, en Turquie, mais aussi en Afrique noire.
Dans la plupart des petites villes d'Afrique centrale franco-
phone, l'on peut d'ailleurs disposer de gîtes de passage,
mis gracieusement à la disposition des voyageurs par le
responsable administratif du district.
En Grèce, en Italie, les autorités compétentes autorisent
le camping libre, à condition toutefois d'en demander l'autorisation au propriétaire. En Suisse, il arrive que, très
gentiment, le propriétaire vous offre sa salle de bains.
Nos voisins et amis belges avisent les campeurs que le
propriétaire demande quelquefois le prix d'une location.
Mieux vaut en convenir avec lui avant de s'installer.

Quand le propriétaire est l'Etat, comme c'est souvent le cas en Tunisie, l'on obient l'autorisation de camper en s'adressant au poste de police voisin. Elle vous est toujours donnée avec le sourire... et quelques recommandations.

Les Hollandais, eux, aiment trop les espaces verts et en ont si peu, qu'ils interdisent le camping sauvage.

Le fait d'être accueilli sur un territoire, qui n'est pas le sien, reste pour le campeur la preuve d'une confiance et d'une ouverture d'esprit vraiment réconfortantes.

« Un ami d'Athènes nous avait appris à dire très correctement en grec : " Pouvons-nous planter notre tente chez vous ? " A Olympie, nous avons posé la question à un couple de paysans. Ceux-ci ont regardé le ciel orageux. Ils ont tenu absolument à ce que nous couchions dans leur maison. Ils nous ont offert leur lit. Le lendemain, nous nous sommes aperçus que nos hôtes avaient dormi par terre, sur des feuilles de maïs [1].

A un tel niveau de confiance et d'hospitalité l'on peut vraiment parler d'accueil. Et si l'expérience se renouvelle au cours du séjour, l'on peut parler d'accueil national. Cependant, il faut le constater, ce n'est qu'une exception... émouvante et inoubliable !

1. « Un an au jour le jour », carnet d'auto-stoppeur de l'auteur, non publié.

Fiche d'informations

Rencontre sur demande avec une famille :

DANEMARK :
- « **Conseil du Tourisme du Danemark** ».
- « **Office National du Tourisme du Danemark** ».

SUEDE :
- « **Office National du Tourisme Suédois** ».
- « **La Suède chez elle** » fonctionne actuellement à Stockholm, Göteborg, Malmo et dans la plupart des villes de province.

U.S.A. :
- « **United States Travel Service** ».

ISRAEL :
- « **Office National Israélien du Tourisme** ».

INDES :
- « **Office National Indien du Tourisme** ».

Pour la liste des terrains de camping, la demander aux Office du Tourisme ; pour le Danemark, acheter la liste officielle aux :
- « **Chemins de Fer de l'Etat Danois** ».

La plupart des pays ayant des terrains de camping organisés acceptent la licence internationale de camping. Cette licence est délivrée en France par :
- « **Fédération Française de Camping et de Caravaning** ».
- Ainsi que par un certain nombre d'organismes locaux (maisons des Jeunes et de la Culture, camping-clubs, etc.).

4. Les auto-stoppeurs

Tous les voyageurs ou les globe-trotters ne s'agitent pas avant le départ. Certains partent au cap Nord, en Amérique du Sud, en Indonésie, sans écrire aux offices de tourisme, sans demander le prix des chambres. Ils n'ont que faire de l'organisation des autres. Ils ont leur méthode : le stop.

Ces mal-aimés.

En France, nombre d'auto-stoppeurs (étrangers en particulier) se voient refuser de l'eau, même en rase campagne. La discrimination à leur endroit dépasse souvent, en Occident, tout ce que l'on peut imaginer de méfiance et de mépris. En voyant un pouce tendu vers la droite, beaucoup de ceux qui tiennent un volant « en vainqueurs », sont agités par les sentiments les plus divers : « Ils n'ont qu'à travailler et se payer le voyage, ils n'ont qu'à être plus propres... il y en a qui vous détroussent et vous assassinent..., qui vous poursuivent devant la justice en cas d'accident. »

Mal aimés de l'Occident, les stoppeurs sont, en général, mieux accueillis ailleurs. En Asie, en Afrique, ils grimpent où ils peuvent sur les camions déjà lourdement chargés. Ils s'accrochent aux ridelles, voyagent sur le marchepied quand tout est plein à l'intérieur.

« Je me souviens du jour où sur une route peu fréquentée en Anatolie, un camion chargé de troncs d'arbres s'est arrêté à notre signe. Plus de quarante voyageurs turcs étaient déjà en place, à cheval sur d'énormes poteaux... Un mois plus tard, je me souviens : c'était à une intersection de route, en plein désert iranien. Un taxi-camionnette s'est arrêté pour nous prendre. La cabine était comble, l'arrière et le porte-bagages situé sur le dessus de la voiture débordaient de clients et de bagages. Nous avons voyagé pendant deux cent cinquante kilomètres sur le

marchepied arrière du véhicule. Et à cent à l'heure[1]. »
L'aventurier des routes du xxᵉ siècle reconnaît de loin les
véhicules qui « prennent facilement ». Il repère les puis-
santes voitures des Services des Ponts et Chaussées de Turquie ; elles sont peintes en orange. Il sait que les énormes
Willème, couleur lie-de-vin, de la Compagnie des transports
algériens sillonnent en tous sens le Sahara et vont jusqu'en
Afrique noire. Ce groupe de cinq Mercédes qui traverse
Hambourg, est conduit par des Pakistanais ou des Afghans.
Ces revendeurs quittent cette ville pour amener dans leur
pays d'origine des véhicules d'occasion. On peut donc avec
eux, en stop, traverser l'Europe et une partie de l'Asie.
Gratuitement ? Pas tout à fait ! Il arrive à ces chauffeurs
de demander à leurs « clients » un bakchich important
(vingt ou trente dollars U.S.)... ou de les laisser conduire
le véhicule à leur place.
Aux Etats-Unis, certaines firmes automobiles confient des
véhicules à des étudiants. Ceux-ci n'ont pas à payer le
voyage et la société s'en tire à bon compte pour livrer du
matériel neuf !

Un peu de technique.

Certains des francs-tireurs des voyages organisés ne domi-
nent pas toujours la technique du stop. Il y a :
— ceux qui sont mal placés et ignorent le code de la
route. Ils font du stop sur un pont, quand ce n'est pas sur
une autoroute ou même sur une route jalonnée par une
ligne jaune continue,
— ceux qui ont des bagages impressionnants,
— ceux qui oublient trop souvent de se laver et surtout
de se peigner (la coiffure est le premier signe extérieur de
tenue qu'observe le conducteur sollicité de s'arrêter),
— ceux qui, las d'attendre, mettent en avant leur belle

1. « Un an au jour le jour », carnet d'auto-stoppeur de l'auteur,
non publié.

amie. Ils se dissimulent le plus possible derrière elle, mais cette « subtilité » ne leur vaudra que des désagréments.

Les bons « techniciens du stop » font l'admiration des connaisseurs :

— Ils se placent en un lieu où la circulation n'est pas trop rapide, en respectant les interdits du code de la route.

— Ils manifestent clairement leurs intentions. Ils se tiennent légèrement en retrait de la route et évitent de marcher.

— Ils demeurent, dans tous les cas, visibles d'assez loin. Ils suivent du regard le visage du chauffeur sollicité, en s'efforçant d'être le plus convaincant possible.

Les virtuoses, ceux qui font Madrid-Stockholm en trois jours, Paris-Téhéran en cinq, Gibraltar-Abidjan en dix :

— Ceux-là savent sortir des grandes villes (terreur des auto-stoppeurs). Pour cela, ils empruntent un bus de lignes régulières ou se contentent de grimper dans une charrette.

— Ils essaient de faire arrêter : convois militaires, ambulances, corbillards, véhicules de personnalités diplomatiques. Ils y parviennent souvent.

— Ils ont un moral à toute épreuve et réussissent là où tous ont échoué.

« De tracteur en tracteur, nous sortons de Larissa (ville du nord de la Grèce). Il n'y a pratiquement pas de circulation. Il gèle et il va neiger. Un tracteur, heureusement, nous conduit jusqu'à Kozani, à 90 kilomètres de là. Mon compagnon est assis sur la boîte à outils, tandis que, penché en équilibre sur un soc de charrue, je m'agrippe avec force à l'épaule du chauffeur et au garde-boue qui vibre [1]. »

Une expérience irremplaçable.

Les auto-stoppeurs découvrent le monde d'une façon originale. Ceux qui viennent de les accueillir dans leur véhi-

---

1. « Un an au jour le jour », carnet d'auto-stoppeur de l'auteur, non publié.

cule leur parlent, leur posent des questions. Il faut essayer de communiquer avec eux... sans savoir leur langue.

« Je me souviens de ce chauffeur de poids lourds contrarié par mon ignorance du turc. Il me fit sortir un carnet et un crayon et m'invita prestement à écrire du vocabulaire. Chaque fois que nous passions sur un pont, sous un tunnel, dans un village, chaque fois qu'il voyait un berger, un chien, un cheval... je devais écrire et répéter plusieurs fois de suite le mot précis correspondant à la chose aperçue [1]. »

Au gré des rencontres, chance ou malheur peuvent s'abattre sur les auto-stoppeurs. Ce soir, ils coucheront dans la maison d'un riche notable. Le lendemain, n'ayant pas trouvé de gîte, ils dormiront dans un fossé plein de moustiques.

---

1. « Un an au jour le jour », carnet d'auto-stoppeur de l'auteur, non publié.

Fiche d'informations

Quelques indications sur le stop dans différents pays. Tenir compte que certains pays assimilent les auto-stoppeurs aux beatniks.

- *En U.R.S.S.* : oui, possible à condition de donner son itinéraire aux autorités compétentes.
- *En Birmanie, Chine Populaire* : pas question de faire du stop. Pour circuler, il faut être en groupe organisé et accompagné.
- *Aux U.S.A.* : assez difficile et peu pratique (sorties interminables des grandes zones urbaines — interdiction sur les autoroutes, etc.).
- *Pays de l'Est* : très variable,
  - *Yougoslavie* : autorisé, mais assez difficile,
  - *Pologne* : facile et pratiqué couramment.
- *En Scandinavie* : de plus en plus difficile, comme dans la plupart des pays d'Europe.
- *Turquie et Moyen-Orient* : très facile. (Encore faut-il qu'il y ait de la circulation !) Avant de monter, se mettre d'accord avec le chauffeur sur un éventuel coût du transport.
- *Indes* : facile quand il y a de la circulation routière (attention aux moussons qui empêchent à certains moments toutes communications par routes).

En Afrique :

- *Pour l'Afrique noire* : très facile, attention aux routes inutilisables en certaines saisons (consulter cartes Michelin).
- *Pour l'Afrique du Nord et zones sahariennes (exception pour la Libye)*, facile, se mettre d'accord avec le chauffeur sur un éventuel coût du transport.

— *Libye :* le stop est difficile (seuls les taxis s'arrêtent) et la vie reste très chère.

— *Egypte :* les gosses s'agglutinent sans arrêt autour des voyageurs de toutes espèces, pour mendier. Répété chaque jour, ce genre d'encombrement devient vite insupportable aux auto-stoppeurs.

5. Géographie des pourboires

L'art du pourboire est une gymnastique difficile. Il requiert du tact et de l'aisance. Cet épineux problème fait partie, en effet, des règles du savoir-vivre, sauf toutefois dans les pays socialistes. Mal informé, le voyageur montre trop ou trop peu de générosité. Il donne la preuve de sa qualité humiliante de touriste.

Les gens très fortunés descendent dans les hôtels de classe internationale. Ils ont toujours le porte-monnaie à la main. Le pourboire est, pour eux, le seul moyen de se faire servir... comme ils l'entendent et à bon marché !

A l'opposé de ces privilégiés, certains touristes voyagent à l'économie. Assaillis par des mains tendues, ils ne comprennent rien... et regardent le paysage.

En U.R.S.S., le service ne se paie pas. Disons plutôt qu'il est compris dans la note du client ou le salaire du travailleur. Il est donc inutile de tenter les guides de l'Intourist. De toute façon, on ne vous reprochera jamais de ne pas donner un pourboire au pays du socialisme : les Russes ne le font que rarement.

Mais il n'en est pas de même partout. Le porteur, que ce soit à Monaco ou en Thaïlande, pratique un tarif progressif, à partir de la deuxième valise.

Il est des villes curieuses : à New York tout le monde tend la main, sauf ceux qui n'espèrent rien : les ouvreuses et les barmen. Ces ouvreuses n'attendent rien non plus à Londres et à Rome.

La zone du « bakchich » commence à Gibraltar, à l'ouest, pour se terminer très loin, à l'est, dans le Pacifique.

Au Moyen-Orient et sur les bords du Gange, le gardien de parking, le serveur de gazouze, attendent la pièce du remerciement, tout comme celui qui vous a proposé de porter votre panier au marché.

Dans les îles du Pacifique, le pourboire était contraire aux règles de l'hospitalité. Mais, devant l'afflux des touristes,

Bali, Bornéo, Tahiti, Hawaï, font fi des bonnes mœurs d'antan.

Traités comme des curiosités, les autochtones ont pris leurs distances vis-à-vis des chasseurs d'images. Suivant les continents et même les pays, ils refusent catégoriquement de se laisser photographier. Ils crient, ils se cachent le visage, ils fuient ou menacent du poing l'homme à la caméra. Ou bien, ils se laissent admirer avec plus ou moins de complaisance et attendent le « matabiche », le « kado ». Il en est ainsi du policier en tenue des îles Fidji, du pêcheur de l'Océanie, du Masaï, ou du Touareg.

6. Joies et douleurs de l'hospitalité.

Le manager volant, Russel F. Anderson, assure que voyager, « c'est prendre une leçon permanente de tolérance [1] ». Chaque peuple a ses caractéristiques. Il ne faut pas se hâter de les classer en deux catégories : qualités et défauts.

Chacun peut apprécier l'habileté tactique des Anglais, le désir de perfection des Allemands, le sens des affaires chez les Américains, l'esprit analytique des Japonais.

Surtout ne perdez pas espoir si vous devez attendre tout un après-midi dans un bureau à Bogota. Sachez que, invité à une soirée, le Hollandais arrivera certainement avant l'heure, que le Suédois sera exact, mais que l'Américain arrivera légèrement en retard. Par contre, le Français pourra vous faire attendre un quart d'heure. Longtemps après apparaîtra le Sud-Américain. Quant au Japonais, mieux vaut ne pas l'attendre. S'il vient, tant mieux ; s'il ne vient pas, rien ne sert de s'en formaliser. Il a accepté l'invitation pour ne pas vous vexer. Mais a-t-il eu jamais l'intention de s'y rendre ?

Le voyageur modèle doit pouvoir s'adapter à toutes les subtilités des horaires, tant dans les rendez-vous qu'on lui

---

1. Journal de bord d'un manager volant, Russel F. Anderson, dans *Voyages,* supplément n° 18 de l'*Expansion.*

fixe, que quant aux heures de départ des cars et des trains.

Il doit également faire preuve de savoir-faire et, dans certains cas, d'héroïsme. Si, en Irak ou dans quelque pays d'Orient, on lui sert de la soupe, sur laquelle surnagent les yeux glauques d'un mouton, il en goûtera, mais très peu à la fois, et demandera du poivre. Si la « spécialité » n'arrive pas à passer, il alléguera quelques maux chroniques d'estomac. Personne ne lui en tiendra rigueur.

Toujours en Orient. Si on l'invite à un mariage il acceptera, le temps des festivités, de perdre sa compagne de route. Si, par une exceptionnelle complaisance, on le laisse à côté de son épouse, il ne lui témoignera aucun signe extérieur de tendresse.

Le voyageur aux nerfs d'acier dormira sur ses deux oreilles quand il passera la nuit sous les étoiles ou encore sur les nattes d'un hôtel japonais traditionnel. Il ne s'énervera pas davantage si la nuit, les chiens, les craquements du plancher, les chacals, les tambourins, les oiseaux, les chasses d'eau, ou le bloc électrogène du « Safariland » l'empêchent de dormir. Il utilisera, à l'occasion, des boules insonorisantes.

Etendu sur sa couche, dure ou molle, il restera stoïque devant les attaques des punaises ou les infiltrations d'eau dans le plancher. Au réveil, il présentera à son hôte le visage détendu de celui qui a bien dormi.

X. Les périls
des Ulysses modernes

1. Malheur aux étourdis

Se tromper d'aéroport apparaît comme une erreur monumentale. Elle est plus fréquente qu'on ne le pense, surtout au départ de Paris (Orly, Le Bourget). Un changement d'horaire dû aux circonstances atmosphériques, une grève surprise, une grève du zèle augmentent les risques de faux départs.

Dans le cas d'un départ en avion, il convient de ne pas faire établir son billet dès que l'on a pris la décision de partir. Il est préférable de faire réserver ses places et de ne se faire délivrer le titre de transport qu'au dernier moment, dans un délai acceptable avant le départ. Voilà qui évite des surcharges, causes de beaucoup d'erreurs et d'interprétations inattendues.

Les titres de transport se volent ou s'égarent. Ce n'est pas une catastrophe si l'on a pris soin d'en noter le numéro. On peut alors se faire délivrer un billet provisoire.

2. Le jeu des fuseaux horaires

Partant de Sydney un samedi à vingt heures, vous arrivez à Paris dans la matinée de ce même samedi, à sept heures. Vous avez rajeuni de quelques heures. Vous avez remonté le temps ou plutôt la série des fuseaux horaires. Ce jeu du « saute-fuseau » pose un problème médical aux grands voyageurs, car, à la longue, il épuise nerveusement. C'est, pour leur santé, une menace qu'aggravent encore les changements brusques de climat, de rythme de vie et de nourriture. Hommes d'affaires internationaux et globe-trotters infatigables doivent s'imposer une fréquence raisonnable de « saute-fuseau », sinon ils risquent de sombrer dans l'instabilité psychologique.

3. Les cartes routières : attention mirage

Sur toutes les routes du monde, l'on rencontre des voyageurs, téméraires, inconscients ou simplement naïfs. Les Ulysses modernes aiment à parcourir les enfers verts ou les pays de la soif. Etudient-ils la carte, ils s'aperçoivent que des « routes » sillonnent maintenant les régions les plus inaccessibles, les plus déshéritées.

Sur le terrain, les optimistes-nés apprendront vite — mais à leurs dépens — que chaque pays présente son réseau routier de la façon la plus avantageuse.

Certes les routes transcontinentales améliorées (Sahara, Afrique noire) ne sont souvent que de simples pistes. Elles sont cependant praticables en saison sèche par tous les véhicules. L'on n'y rencontrera que peu d'imprévu. En outre, elles sont balisées à peu près correctement. Par contre, les routes en sol naturel (d'Afrique), les routes fédérales (du Brésil), les routes stabilisées (de Turquie) présentent à certaines époques des surprises peu agréables : gués infranchissables après les pluies, barrages de sable après une tempête, etc. Mais les « pistes reconnues » ou les « pistes balisées » sont à fuir comme la peste. Dans le meilleur des cas, il est nécessaire d'y circuler avec un véhicule tous terrains, répondant aux normes de sécurité imposées par les services locaux de contrôle (on les voit d'ailleurs bien rarement). Cependant, certaines de ces

« pistes reconnues » sont interdites à toute circulation sans autorisation spéciale (par exemple, au Tibesti et au Fezzan).

Mais s'il fallait décerner une médaille aux réseaux routiers les plus surprenants, il semble que les deux Congo (Zaïre et République Populaire du Congo) pourraient l'obtenir. Pont effondré, arbre abattu sur la route, bac qu'on ne peut emprunter, fondrière spectaculaire, sont monnaie courante en Afrique. Il y faut de la patience, parfois pendant toute une semaine, quand on n'est pas contraint de faire demi-tour ou de faire un trajet supplémentaire de 1 000 kilomètres.

4. Le tracassin mécanique

La défaillance mécanique reste un souci constant. « Deux Christophe Colomb — français — en vélo viennent de découvrir les U.S.A. Ils sont maintenant bloqués à Mexico, à cause d'une roue en « huit ». Après plusieurs jours de vaines recherches, l'entraîneur de l'équipe cycliste mexicaine les dépanne. Il leur fabrique gratuitement une jante sur mesure. Ce technicien compréhensif n'est autre que Lambertini, ancien coéquipier de Fausto Coppi [1]. »

L'imagination des aventuriers modernes n'est jamais à court. Manquez-vous d'huile dans votre moteur et ne pouvez-vous réapprovisionner, l'utilisation de bananes s'impose. Le conférencier, qui raconte ce genre d'anecdotes, recevra toujours de son public un murmure d'approbation admirative.

Sur certaines routes, comme il y a cinquante ans, le chauffeur doit réparer sur place. Il démonte la pièce défaillante et la remplace par celle qu'il a forgée au village le plus proche. Parfois, il doit aller, à pied ou en stop,

1. D'après un article publié dans le *Dauphiné Libéré* du 18 avril 1970.

chercher la pièce de rechange dans un centre urbain. Le fait est courant en Asie, tant en Afghanistan, qu'aux Indes ou au Pakistan. La halte en plein désert dure alors parfois plusieurs semaines.

5. Le tracassin administratif

Faillite.

Le tracassin peut être d'ordre mécanique, il peut être aussi d'ordre administratif.

Devant la fatalité, il est toujours bon de faire preuve de patience. La résignation peut être aussi de mise.

Par suite de la faillite d'une agence qui avait organisé leur voyage en Europe, trois mille étudiants américains se sont trouvés en panne à Paris, à Rome, à Cologne, à Genève, à Athènes et à Vienne. « Le meilleur des étés » annoncé, au départ, par cette agence s'est prolongé pour eux. Abandonnés à leurs propres ressources, ils ont été hébergés dans des écoles de banlieue. Puis, sans le sou, ils ont été rapatriés par leur gouvernement.

Le bon vouloir des fonctionnaires.

Le bon vouloir des fonctionnaires à l'endroit des visiteurs étrangers n'est pas toujours évident. Les deux Christophe Colomb cyclotouristes, dont nous avons déjà parlé, en ont fait l'expérience. Ils avaient pu quitter le Mexique. Mais à la frontière du Guatemala, un douanier leur a fait quelques difficultés. Il espérait bien les délester de quelques dollars. C'était pour eux « l'effondrement budgétaire ». L'un d'eux eut une idée de génie. Il fit cadeau au douanier d'une des pompes qu'il possédait (elle ne fonctionnait d'ailleurs plus). Surpris de ce présent original, leur bourreau les laissa passer.

Alain Gasnier, qui fit un voyage en Afrique à l'âge de vingt ans, voulut franchir la frontière du Burundi. Le pays était en révolution. Son visa d'entrée n'était plus valable. Refoulé, Alain Gasnier, fidèle à sa tactique, tenta sa chance à un autre poste-frontière. Il y arriva à pied et en pleine nuit. Les occupants du poste se croyant attaqués l'arrêtèrent et l'enfermèrent au poste de police. « Le lendemain, après une bière et trente minutes de palabre, je persuade un douanier de me délivrer un laissez-passer de transit, ce qu'il finit par accepter de faire sur un simple papier volant [1]. »

A Bujumbura, la capitale du pays, Alain Gasnier est arrêté quatre fois de suite. Avec ses vêtements kaki, il ressemble à un mercenaire.

Certaines douanes n'ont pas très bonne réputation : celle de Fort-Lamy, par exemple. Tout ce qui passe entre les griffes de cette administration doit payer quelques taxes substantielles. Des touristes, tout à fait en règle, se sont vus tracasser toute une journée et ont dû passer la nuit suivante à la douane.

Ailleurs également, plus d'un voyageur à l'âme tranquille s'est entendu dire : « Votre véhicule n'est pas tout à fait en règle pour sortir d'ici, vous devez payer... mais on peut s'arranger. » Il ne reste aux intéressés qu'à discuter d'un matabiche... ou à s'expliquer directement avec des inspecteurs généraux.

Un peu partout dans le monde, des missions scientifiques sont parfois aux prises avec la logique de certaines administrations. Les archéologues doivent, en particulier, faire preuve d'une très grande compréhension. Les autorités locales considèrent souvent une sépulture ancienne comme le vestige d'un crime qui vient d'avoir lieu. Aussi, en Amérique du Sud, les chercheurs vont-ils quelquefois prendre livraison chez le juge de paix de squelettes fraîchement exhumés.

En échange d'un certificat, le chef de mission obtient l'assu-

1. « En Afrique, à vingt ans », *Sciences et Voyages,* nouvelle série, n° 28.

rance qu'il s'agit de squelettes vieux de plusieurs siècles. On lui garantit aussi que ce sont ceux d'Indiens ayant habité la région.

La poste restante.

Il est toujours nécessaire, avant de partir, de donner une adresse précise à ses parents et amis. Leur dire : « Ecrivez-moi à la poste centrale de Téhéran » ne suffit pas. Et pas davantage de les prier d'écrire « Poste restante », car cette facilité postale n'existe pas dans toutes les villes du monde. Il est bon de demander la liste des localités en ayant une dans le (ou les) pays que l'on visitera.

Dans certains pays, il y a neuf chances sur dix pour qu'une lettre adressée à Monsieur Gaston Durand soit classée dans les M ou dans les G. Aussi ne faites jamais précéder, sur l'enveloppe, le nom de famille des titres « Monsieur », « Madame », « Mademoiselle ». Evitez également de mettre le prénom avant le nom. Cependant, si vous craignez la confusion avec un homonyme, faites écrire vos deux prénoms. Enfin, pour éviter au courrier qui vous est destiné, de faux aiguillages, faites marquer sur l'enveloppe, en lettres capitales : POSTE CENTRALE DE, POSTE RESTANTE...

Pour retirer votre courrier, vous devez présenter une pièce d'identité et acquitter une redevance... variable.

A chacun son dimanche.

Bon nombre d'organisateurs choisissent avec soin la date et l'heure du départ. Mais prévoient-ils toujours ce que sera l'arrivée. La fête nationale d'un pays passe inaperçue dans un autre. Le « dimanche » des uns n'est pas forcément le dimanche des autres.

Il suffit d'arriver un samedi en Israël pour apprendre — à ses dépens — ce que signifie « le jour du repos ». Plus de transports publics, pas toujours de taxis. Quant aux cafés, aux restaurants, aux cinémas... ils sont fermés. Dans les pays de l'Islam, le jour du repos est le vendredi. Le Ramadan (carême islamique) dure un mois. Il change de date chaque année, ainsi que les autres fêtes musulmanes.

Parmi les fêtes internationales, le 1ᵉʳ mai est aussi sacro-saint en France qu'en U.R.S.S. ; par contre, il ne se « célèbre » pas aux Etats-Unis, en Angleterre, ni aux Pays-Bas, par exemple. De même, le 11 novembre ne se fête pas en Italie... ni non plus en Allemagne. L'U.R.S.S. n'ayant pas adopté le calendrier grégorien commémore, le 7 novembre, l'anniversaire de la Révolution d'Octobre.

Dans certaines régions d'Italie, la procession d'un saint patron peut arrêter un train pendant quelques heures. En Espagne, de Pâques à septembre, les ferias de toutes envergures suspendent la vie économique pendant plusieurs jours, de même en Suisse, en Belgique, et, à coup sûr, à Rio, lors du Carnaval. On pourrait allonger la liste en mentionnant des fêtes inconnues en Occident : celle des fleurs au Japon, du renouveau des arbres en Israël.

6. Les troubles du langage

« Minuit, j'arrivais à Tabriz (en Iran), tout endormi. L'ambulancier, qui m'avait pris en stop, me déposa, avec mes bagages, devant le commissariat central de police. Dans ce temple de l'ordre public, j'espérais savoir, enfin, où étaient passés mes deux compagnons de route. J'avais été séparé d'eux pour " des raisons techniques " : je n'avais pu prendre place dans le véhicule qui les avait emmenés et j'étais parti vingt-quatre heures plus tard.

« Certes, nous avions un plan. Nous avions prévu, dans ce cas, de nous retrouver au commissariat central de la ville la plus proche. Si ce n'était pas possible, le " disparu " devait prendre contact avec le consulat de France le moins éloigné, et, en dernier recours, avec l'ambassade de France à Téhéran.

« L'officier de permanence au commissariat paraissait

vingt-cinq ans, à peine. J'essayais de lui faire comprendre ma petite histoire en lui parlant anglais. Mais je m'empêtrais dans les prétérits et les futurs immédiats. Jamais, à aucun moment de ma vie, je n'ai dû me maudire autant d'avoir dormi pendant les cours d'anglais. Mon interlocuteur me fit comprendre par gestes qu'il avait quelque peine à suivre mes explications. Il était minuit trente. La chaleur était suffocante. Soudain le policier prit un air rayonnant. Il décrocha le téléphone, me faisant comprendre, dans un anglais étrange, qu'il appelait sa fiancée. Elle devait bien connaître l'anglais ! Il s'entretint avec elle, en persan, pendant un bon quart d'heure puis, avec gentillesse, me passa l'appareil.

« Une douce voix charma mes oreilles.

« Confiant dans les explications données — ou du moins dans ce que j'avais cru comprendre — je partis le lendemain pour Téhéran. J'y arrivais le soir ,après un voyage de six cents kilomètres. Mes compagnons n'y étaient pas.

« Je les retrouvais huit jours plus tard à l'ambassade de France... Ils m'avaient attendu tranquillement à Tabriz sur les conseils du commissariat central. »

Contrairement à ce qu'on croit, quelques centaines de mots ne suffisent pas à communiquer. Il faut souvent des semaines d'approche linguistique pour cerner les subtilités du langage et surtout celles des tournures d'esprit.

Les « oui » et les « non ».

Les « oui » et les « non », ces mots si simples, sont des pièges terribles.

Les subtilités du « oui » sont infinies. Au Pérou, elles vont, nous dit un organisateur de voyages [1] du « oui absolu » au « non certain ». Et l'on passe par un « oui possible » et un « oui peut-être ». Encore faut-il noter que le « je pense que oui » ne peut que signifier « non », mais

---

1. J. Brugiard, page 7 de *Profil péruvien,* brochure éditée par le Club Alpin de Lyon.

sous une forme infiniment plus polie. Ceci est classique en Amérique latine.

De leur côté, les Asiatiques ont horreur de dire « non ». Mais ne pas dire « non » ne signifie pas forcément dire « oui ». Prendre au pied de la lettre l'adage français : « qui ne dit mot consent » fera commettre les plus graves indélicatesses. Et, pour des hommes d'affaires, les conduira à des transactions fantômes.

Le « non » impératif existe pourtant. Le « yok » turc enlève toute possibilité d'espoir, tout pareil au « occhi » grec. Ce vocable se rapproche phonétiquement du son français « oui ». Mais méfiez-vous de ce traître, de même que du « ne » qui, en grec, signifie « oui ».

En Amérique du Sud, il arrive d'essuyer des « non », mais si vous insistez gentiment et inlassablement, ils deviennent des « oui possibles »... et même des « oui sûrs [1] ».

1. Jacques Brugiard dans *Profil péruvien*, brochure éditée par le Club Alpin de Lyon.

XI. En guise de bilan ou de conclusion

Parlez-moi de votre voyage au Pérou.

Des enquêtes menées auprès d'organisateurs montrent qu'en moyenne, plus de la moitié des participants ont rapporté des souvenirs de leur voyage. Le pourcentage augmente de 10 à 20 % si le voyageur a visité des pays lointains (Japon, Kenya, Amérique du Sud).

Donnons un exemple. Dans un avion rentrant du Pérou avec cent cinquante passagers :

70 % avaient pris des photographies en couleur,
10 % avaient pris des photos en noir et blanc,
25 % avaient fait des films.

Cela représente, au total, plus de quinze mille diapositives, douze cents photos en noir et blanc et au moins dix kilomètres de pellicule impressionnée. A cela s'ajoutent des objets anciens (33 %) et des objets en usage dans le pays visité (71 %).

Mais les passagers ramènent aussi des souvenirs impalpables, émotions fortes, joies, amitiés quelquefois.

A l'occasion d'un rassemblement alpin au Pérou, les participants au voyage expriment clairement leurs déplaisirs :

— les attentes (car, train, hôtel, douane...) absolument incompatibles avec l'impatience des Français,

— l'annonce dans un journal péruvien de la soi-disant disparition d'un des membres du groupe en haute montagne,

— la perte d'un passeport,

— la disparition de deux amis dans la forêt tropicale de Machu-Pichu (amis par la suite retrouvés),

— le déraillement du chemin de fer de la Oroya.

L'équipe bénévole responsable de ce voyage précise que l'ensemble des participants a souffert de choses trop inhabituelles pour lui : grande poussière dans les transports, alternance de l'humidité de la côte et de la grande sécheresse des hauts plateaux.

Ces conditions climatiques provoquèrent des irritations des voies respiratoires (43 % de rhumes et sinusites, 9,5 % de bronchites, 19 % de légers maux des montagnes). La cuisine péruvienne entraîna 24 % de cas de dysenterie et de crises de foie.

Mais les meilleurs moments l'emportent :

— pour les groupes des alpinistes l'arrivée au sommet et le beau temps restent figés dans les souvenirs inoubliables,

— pour le groupe touristique, les excursions à pied sur les sentiers des Andes, les contacts avec les Indiens et les amis ne s'oublient pas.

Liste des organismes cités dans l'ouvrage

A

A Cœur Joie
(Section Relations Internationales)
5, rue Jussieu
69 — Lyon-2°
téléphone : 42.52.44
et 50, rue de Laborde
75 — Paris-8°
téléphone : 387.18.28

Action Automobile et Touristique (L') (Publication)
Voir à Automobile Club de France

**Action, Education, Information Civique et Sociale
(A.E.I.S.)**
anciennement : Action, Education, Information Civique et
Civile (Culture & Promotion)
14, rue Saint-Benoit
75 — Paris-6°
téléphone : 548.00.47 et 548.00.48

Action Internationale des Jeunes
134, boulevard Berthier
75 — Paris-17°
téléphone : 425.61.22

Agences Maritimes Réunies
49, avenue de l'Opéra
75 — Paris-2°
téléphone : 266.46.50

Aide à toute détresse (Science et Service)
Secrétariat général
15, rue Maître-Albert
75 — Paris-5e
téléphone : 633.49.77

Air France
Service médical
1, square Max-Hymans
75 — Paris-15°
téléphone : 273.41.41

Alliance des Unions Chrétiennes de Jeunes Gens de France (U.C.J.G.)
13, avenue Raymond-Poincaré
75 — Paris-16°
téléphone : 727.92.96

Alliance Internationale du Tourisme
9, rue Pierre-Patio
Genève
Suisse

Alpes de Lumière
04 — Bonnechère par Saint-Michel-l'Observatoire
téléphone : 21 à Saint-Michel

Ambassades

Afghanistan
32, avenue Raphaël
75 — Paris-16e
téléphone : 527.66.09

Afrique du Sud
38, rue Bassano
75 — Paris-8e
téléphone : 720.05.89

Albanie
131, rue de la Pompe
75 — Paris-16e
téléphone : 553.51.32

Algérie
18, rue Hamelin
75 — Paris-16e
téléphone : 553.71.49

Allemagne (République Fédérale)
13, 15, avenue Franklin-Roosevelt
75 — Paris-8e
téléphone : 359.33.51

Arabie Saoudite (Consulat général)
18, rue Alfred-Dehodencq
75 — Paris-16e
téléphone : 704.34.34

Argentine
6, rue Cimarosa
75 — Paris-16e
téléphone : 553.14.69

Autriche
6, rue Fabert
75 — Paris-7e
téléphone : 705.89.39

Australie
64, avenue d'Iéna
75 — Paris-16e
téléphone : 720.33.04

Bangladesh
5, avenue Victor-Hugo
75 — Paris-16e
téléphone : 704.34.34

Belgique
9, rue Tilsitt
75 — Paris-17°
téléphone : 380.61.00

Birmanie
60, rue de Courcelles
75 — Paris-8°
téléphone : 622.56.95

Bolivie
27 bis, avenue Kléber
75 — Paris-16°
téléphone : 553.82.89

Brésil
34, cours Albert-1er
75 — Paris-8°
téléphone : 359.39.68

Bulgarie (légation)
1, avenue Rapp
75 — Paris-7°
téléphone : 551.85.90

Burundi
3, rue Octave-Feuillet
75 — Paris-16°
téléphone : 870.60.61

Cambodge
4, Adolphe-Yvon
75 — Paris-16°
téléphone : 504.88.96

Cameroun
147 bis, rue Longchamp
75 — Paris-16°
téléphone : 504.35.53

Canada (service des visas)
4, rue Ventadour
75 — Paris 1er
téléphone : 073.15.83

Ceylan
61, quai d'Orsay
75 — Paris-7e
téléphone : 705.33.52

Chili
2, avenue de la Motte-Picquet
75 — Paris-7e
téléphone : 551.84.90

Chine (République Populaire)
11, avenue Georges-V
75 — Paris-8e
téléphone : 256.04.24

Chypre
23, rue Galilée
75 — Paris-16e
téléphone : 720.86.28

Colombie
22, rue de l'Elysée
75 — Paris-8e
téléphone : 265.46.08

Comores (délégation)
27, rue Oudinot
75 — Paris-7e
téléphone : 734.71.25

Congo (Brazzaville)
57 bis, rue Scheffer
75 — Paris-16e
téléphone : 727.77.09

Corée (République)
29, avenue de Villiers
75 — Paris-17ᵉ
téléphone : 924.26.04

Côte-d'Ivoire
102, avenue Raymond-Poincaré
75 — Paris-16ᵉ
téléphone : 525.56.11

Cuba
51, rue la Faisanderie
75 — Paris-16ᵉ
téléphone : 553.41.03

Danemark
77, avenue Marceau
75 — Paris-16ᵉ
téléphone : 720.18.50

Dahomey
87, avenue Victor-Hugo
75 — Paris-16ᵉ
téléphone : 553.50.45

Equateur
34, avenue de Messine
75 — Paris-8ᵉ
téléphone : 522.10.21

El Salvador
12, rue Galilée
75 — Paris-16ᵉ
téléphone : 720.42.02

Espagne
13, avenue Georges-V
75 — Paris-8ᵉ
téléphone : 359.29.33

Etats-Unis
2, avenue Gabriel
75 — Paris-8°
téléphone : 265.74.60

Ethiopie
35, avenue Charles-Floquet
75 — Paris 7°
téléphone : 783.83.95

Finlande
39, quai d'Orsay
75 — Paris 7°
téléphone : 705.35.45

Ghana
8, villa Saïd
75 — Paris-16°
téléphone : 553.72.02

Grande-Bretagne
35, rue Faubourg-Saint-Honoré
75 — Paris-8°
téléphone : 265.06.20

Grèce
17, rue Auguste-Vacquerie
75 — Paris-16°
téléphone : 523.60.64

Guatemala
73, rue de Courcelles
75 — Paris-8°
téléphone : 227.78.63

Haïti
10, rue Théodule-Ribot
75 — Paris-17°
téléphone : 924.470.78

Haute Volta
159, boulevard Haussmann
75 — Paris-8ᵉ
téléphone : 359.21.85

Hongrie
5 bis, square de l'Avenue Foch
75 — Paris-16ᵉ
téléphone : 727.41.59

Indes
15 rue Albert-Dehodencq
75 — Paris-16ᵉ
téléphone : 870.39.30

Indonésie
49, rue Cortambert
75 — Paris-16ᵉ
téléphone : 870.70.58

Irak
117, ruc de la Tour
75 — Paris-16ᵉ
téléphone : 504.61.33

Irlande
12, avenue Foch
75 — Paris-16ᵉ
téléphone : 727.73.58

Islande
124, boulevard Haussmann
75 — Paris-8ᵉ
téléphone : 522.81.54

Israël
3, rue Rabelais
75 — Paris-8ᵉ
téléphone : 924.29.17

Italie
47, rue de Varenne
75 — Paris-7ᵉ
téléphone : 548.67.32

Japon
7, avenue Hoche
75 — Paris-8ᵉ
téléphone : 924.83.59

Jordanie
80, boulevard Maurice-Barrès
92-Neuilly
téléphone : 624.52.38

Kénya
4, square Charles-Dickens
75 — Paris-16ᵉ
téléphone : 288.82.20

Koweït
81, avenue Raymond-Poincaré
75 — Paris-16ᵉ
téléphone : 704.66.50

Laos
74, avenue Raymond-Poincaré
75 — Paris-16ᵉ
téléphone : 704.22.54

Liban
42, rue Copernic
75 — Paris-16ᵉ
téléphone : 553.85.32

Libéria
12, place Malhesberbes
75 — Paris-17ᵉ
téléphone : 924.58.55

Luxembourg
33, avenue Rapp
75 — Paris-7ᵉ
téléphone : 468.00.04

Lybie
18, rue Keppler
75 — Paris-16ᵉ
téléphone : 720.27.07

Madagascar (République Malgache)
1, boulevard Suchet
75 — Paris-16ᵉ
téléphone : 504.18.16

Malaisie
48, rue de la Faisanderie
75 — Paris-16ᵉ
téléphone : 727.13.85

Mali
89, rue Cherche-Midi
75 — Paris-6ᵉ
téléphone : 548.58.43

Maroc
5, rue Le Tasse
75 — Paris-16ᵉ
téléphone : 870.69.35

Maurice
68, boulevard de Courcelles
75 — Paris-17ᵉ
téléphone : 227.30.19

Mauritanie
5, rue Montevideo
75 — Paris-16ᵉ
téléphone : 504.88.54

Mexique
9, rue de Longchamp
75 — Paris-16°
téléphone : 727.41.44

Népal
7, rue Dufrénoy
75 — Paris-16°
téléphone : 504.62.38

Nicaragua (Consulat général)
89, boulevard Magenta
75 — Paris-10°
téléphone : 770.47.94

Niger
154, rue de Longchamp
75 — Paris-16°
téléphone : 504.84.59

Nigéria
173, avenue Victor-Hugo
75 — Paris-16°
téléphone : 704.68.65

Norvège
28, rue Bayard
75 — Paris-8°
téléphone : 359.98.60

Nouvelle-Zélande
9, rue Léonard-de-Vinci
75 — Paris-16°
téléphone : 553.66.50

Ouganda
7, cité Vaneau
75 — Paris-7°
téléphone : 551.59.64

Pays-Bas
7, rue Eblé
75 — Paris-7°
téléphone : 578.61.88

Pakistan
18, rue Lord Byron
75 — Paris-8°
téléphone : 225.23.32

Pérou
50, avenue Kléber
75 — Paris-16°
téléphone : 704.34.53

Philippines
26, avenue Georges-Mandel
75 — Paris-16°
téléphone : 704.65.50

Pologne
57, rue Saint-Dominique
75 — Paris-7°
téléphone : 551.60.80

Portugal
3, rue Noisiel
75 — Paris-16°
téléphone : 553.12.16

République Arabe Unie
56, avenue d'Iéna
75 — Paris-16°
téléphone : 720.95.37

République Centre-Africaine
29, boulevard Montmorency
75 — Paris-16°
téléphone : 224.42.56

République Dominicaine
2, rue Georges-Ville
75 — Paris-16°
téléphone : 704.45.95

Roumanie
5, rue de l'Exposition
75 — Paris-7°
téléphone : 705.49.54

Rwanda
17, rue Marguerite
75 — Paris-17°
téléphone : 227.36.31

Sénégal
2, square Pétrarque
75 — Paris-16°
téléphone : 704.61.70

Somalie
10, square Pétrarque
75 — Paris-16°
téléphone : 727.21.45

Soudan
54, avenue Victor-Hugo
75 — Paris-16°
téléphone : 553.62.09

Suède
66, rue Boissière
75 — Paris-16°
téléphone : 553.11.89

Suisse
142, rue de Grenelle
75 — Paris-16°
téléphone : 551.62.92

Syrie
22, boulevard Suchet
75 — Paris-16°
téléphone : 504.33.36

Tanzanie
32, rue Général-Delestraint
75 — Paris-16°
téléphone : 525.70.27

Tchad
65, rue des Belles-Feuilles
75 — Paris-16°
téléphone : 553.36.75

Tchécoslovaquie
15, avenue Charles-Floquet
75 — Paris-7°
téléphone : 734.29.10

Thaïlande
8, rue Greuze
75 — Paris-16°
téléphone : 553.53.57

Togo
8, rue Alfred-Roll
75 — Paris-17°
téléphone : 380.12.13

Tunisie
25, rue Barbet-de-Jouy
75 — Paris-7°
téléphone : 555.16.70

Turquie
17, rue d'Ankara
75 — Paris-16°
téléphone : 288.44.50.

U.R.S.S.
79, rue de Grenelle
75 — Paris-7e
téléphone : 548.95.41

Uruguay
33, rue Jean-Giraudoux
75 — Paris-16e
téléphone : 727.73.45

Venezuela
11, rue Copernic
75 — Paris-16e
téléphone : 553.29.98

Yougoslavie
54, rue de la Faisanderie
75 — Paris-16e
téléphone : 504.09.83

Viet-Nam (Consulat général de la République Démocratique)
45, avenue de Villiers
75 — Paris-17e
téléphone : 227.06.57

Yémen (République)
25, avenue Paul-Doumer
75 — Paris-16e
téléphone : 704.84.14

Zaïre (ex Congo-Kinshasa)
32, cours Albert-1er
75 — Paris-16e
téléphone : 225.57.50

American Field Service
39, rue Cambon
75 — Paris-1er
téléphone : 073.40.53

American Language and Culture Institute (A.L.C.I.)
675th, Fifth avenue
New York (NY 10022)

Amicale Culturelle Internationale
27, rue Godot-de-Mauroy
75 — Paris-9ᵉ
téléphone : 073.24.33

Amitiés de France
21 bis, rue d'Armaillé
75 — Paris-17ᵉ
téléphone : 754.40.54

Amitiés du Tiers Monde
63, rue Pernety
75 — Paris-14ᵉ
téléphone : 734.81.41

Amitié Internationale des Jeunes
123, rue de la Tour
75 — Paris-16ᵉ
téléphone : 504.18.10

Amitié Mondiale
39, rue Cambon
75 — Paris-1ᵉʳ
téléphone : 073.79.68

Apecita
1, rue Cardinal-Mercier
75 — Paris-9ᵉ
téléphone : 874.69.57

Arce-France
3, rue Scribe
75 — Paris-9ᵉ
téléphone : 073.74.90

Aroeven
18, passage Turquetil
75 — Paris-11°
téléphone : 370.45.01

Assistance Technique et Coopération (A.T.E.C.O.)
8, villa du Parc-Montsouris
75 — Paris-14°
téléphone : 707.89.69

Association Champenoise de Coopération Inter-Régionale Chambre d'Agriculture (A.C.C.I.R.)
7, cours d'Ormesson
51 — Châlons-sur-Marne
téléphone : 68.22.26

Association Culturelle franco-espagnole
31, rue de Gay-Lussac
75 — Paris-5°
téléphone : 633.55.37

Association de Cogestion pour le Déplacement à But Educatif des Jeunes (C.O.G.E.D.E.P.)
voir à C.O.G.E.D.E.P.

Association des Amis de la République française
35, avenue Victor-Hugo
75 — Paris-16°
téléphone : 727.64.14

Association des Jeunes en Vacances
80, rue Vaneau
75 — Paris-7°
téléphone : 222.61.84

Association de Soutien du Comité pour les Relations Internationales des Associations Françaises de Jeunesse et d'Education populaire (C.R.I.F.)
30, rue Cabanis
75 — Paris-13°
téléphone : 336.04.71

Association Française des Volontaires du Progrès (A.F.V.P.)
Bois du Faye
91 — Linas
téléphone : 901.10.95

Association France-Algérie (A.F.A.)
235, boulevard Saint-Germain
75 — Paris-7°
téléphone : 705.81.22

Association France-Amérique
9, avenue F.-Roosevelt
75 — Paris-8°
téléphone : 359.45.16

Association France-U.R.S.S.
8, rue de la Vrillière
75 — Paris-1ᵉʳ
téléphone : 231.32.20

Association franco-américaine atlantique
68, rue de la Chaussée-d'Antin
75 — Paris-9°
téléphone : 874.78.44

Association Internationale pour le Développement (A.I.D.)
4, avenue d'Iéna
75 — Paris-16°
téléphone : 553.25.10

Association Internationale pour le Développement Economique et l'Aide Technique (A.I.A.T.)
154, boulevard Haussmann
75 — Paris-8°
téléphone : 924.55.76

Association Nationale des Clubs Scientifiques
44, rue Cambronne
75 — Paris-15°
téléphone : 566.71.96

Association Nationale pour le Tourisme Equestre
12, rue du Parc-Royal
75 — Paris-3ᵉ
téléphone : 227.48.56

Association pour la Démocratie et l'Education Locale et Sociale (A.D.E.L.S.)
94, rue Notre-Dame-des-Champs
75 — Paris-6ᵉ
téléphone : 325.93.49

Association pour les Loisirs et les Echanges de la Jeunesse
12, place Henri-Bergson
75 — Paris-8ᵉ
téléphone : 387.45.89

Association pour les Stages et l'Accueil des Techniciens d'Outre-Mer (A.S.A.T.O.M.)
voir à nouvelle dénomination : Centre International des Stages (C.I.S.)

Association pour l'Organisation de Missions de Coopération Technique (A.S.M.I.C.)
16, rue des Pyramides
75 — Paris-1ᵉʳ
téléphone : 260.31.15

Association pour l'Organisation de Stages en France (A.S.T.E.F.)
64, rue Pierre-Charron
75 — Paris-8ᵉ
téléphone : 359.97.41

Association Technique Interministérielle des Transports (A.T.I.T.R.A.)
2, rue Rossini
75 — Paris-9ᵉ
téléphone : 523.00.85/86/87

Antennes A.T.I.T.R.A. :

Belfort (90)
29, avenue du Général-Sarrail
téléphone : 28.53.40
(dans les locaux du Centre départemental d'animation et
de documentation culturelle).

Bordeaux (33)
1, allée de Chartres
téléphone : 44.12.42
(dans les locaux de la Compagnie Maritime des Chargeurs
Réunis).

Créteil (94)
50, avenue Maréchal-de-Lattre
téléphone : 899.26.00
(dans les locaux du Bureau d'Information Jeunesse B.I.J.).

Dijon (21)
4, place Darcy
téléphone : 32.44.57
(dans les locaux de l'Association Bourguignonne Cultu-
turelle).

Lille (59)
17, rue Alexandre-Leleux
téléphone : 54.81.38
(au Centre Départemental de Documentation pour la Jeunesse).

Lille (59)
Gare de Lille
téléphone : 55.60.45
(dans les locaux du tourisme S.N.C.F.).

Lyon-2° (69)
Place Bellecour
téléphone : 37.30.39
(dans les locaux du Bureau d'Information Jeunesse).

Marseille-2° (13)
72, rue de la République
téléphone : 20.55.30
(dans les locaux de la Compagnie Paquet).

Nantes (44)
2, place Royale
téléphone : 71.01.59
(dans les locaux du tourisme S.N.C.F.).

Strasbourg (67)
10, place Gutenberg
téléphone : 32.60.54
(dans les locaux de S.V.P. Jeunesse).

Toulouse (31)
Palais des Sports — Place Dupuy
téléphone 22.29.13
(Bureau de Coordination des Maisons des Jeunes et de la Culture).

Relais A.T.I.T.R.A. :

Beauchamp (95)
42 bis, avenue Pasteur
(dans les locaux de la Maison des Jeunes et de la Culture).

Chelles (77)
rue des Frères-Verdeaux
téléphone : 957.26.46
(dans les locaux de la Maison des Jeunes et de la Culture).

Givors (69)
(dans les locaux du Bureau d'Information Jeunesse).

Meaux (77)
1, place A.-de-Saint-Exupéry
téléphone : 434.20.39
(dans les locaux de la Maison des Jeunes et de la Culture).

Nogent-sur-Marne (94)
36, boulevard Galliéni
téléphone : 873.37.67
(dans les locaux de la Maison des Jeunes et de la Culture).

Paris-8ᵉ (75)
53, rue de Courcelles
téléphone : 267.21.70
(dans les locaux de la Maison des Jeunes et de la Culture).

Saint-Etienne (42)
Mairie
(Bureau d'Information Jeunesse).

Sceaux (92)
21, rue des Ecoles
téléphone : 350.05.96
(dans les locaux de la Maison des Jeunes et de la Culture).

Association Universitaire pour le Développement de l'Enseignement et de la Culture en Afrique et à Madagascar (A.U.D.E.C.A.M.)
54, avenue Victor-Hugo
75 — Paris-16ᵉ
téléphone : 553.05.20

Atlas (Publication)
Grange Batelière
10, rue Chauchat
75 — Paris-9ᵉ

Automobile Club de France
8, place de la Concorde
75 — Paris-8ᵉ
téléphone : 265.65.99

Avenir et Joie (J.O.C.F.)
246, boulevard Saint-Denis
92 — Courbevoie
téléphone : 333.25.32 et 333.34.20

B

Baladar (brochure)
Voir Arce France

Bourses Cleveland
Se renseigner auprès des services départementaux de la Jeunesse, des Sports et des Loisirs

Bourses de la Fondation du Groupe Elf
Se renseigner auprès des services départementaux de la Jeunesse, des Sports et des Loisirs

Bourses du Circt
Voir adresse à Centre
International de Recherches
d'Echanges Culturels et Techniques

Bourses Feu Vert pour l'Aventure
se renseigner à : Nouvelles Frontières Feu Vert pour l'Aventure

British Travel
6, place Vendôme
75 — Paris-1er
téléphone : 742.72.40

Bruxelles des Jeunes (Revue)
voir adresse à Infor-Jeunes

Bureau Central Français
42, rue de Clichy
75 — Paris-9°

Bureau Central pour les Equipements d'Outre-Mer (B.C.E.O.M.)
15, square Max-Hymans
75 — Paris-15°
téléphone : 566.93.39

Bureau de la Main-d'œuvre du Secrétariat d'Etat aux Affaires Etrangères
20, rue la Boétie
75 — Paris-8°
téléphone : 265.26.94

Bureau de Liaisons Africaines et Malgaches (B.L.A.M.)
Fédération Nationale Léo Lagrange
21, rue de Provence
75 — Paris-9°
téléphone : 824.63.01

Bureau de Recherches du Pétrole (B.R.P.)
11, rue Léopold-Bellan
75 — Paris-2°
téléphone : 231.20.97

Bureau de Recherches Géologiques et Minières (B.R.G.M.)
74, rue de la Fédération
75 — Paris-15°
téléphone : 783.94.00

Bureau des Voyages de la Jeunesse
20, rue Jean-Jacques-Rousseau
75 — Paris-1er
téléphone : 236.88.18

Bureau des Voyages Scolaires
116 bis, avenue Champs-Elysées
75 — Paris-8°
téléphone : 359.72.54

Bureau d'Etudes des Postes et Télécommunications
d'Outre-Mer (B.E.P.T.O.M.)
5, rue Oswaldo-Cruz
75 — Paris-16°
téléphone : 647.48.00

Bureau d'Information sur la Coopération
20, rue Monsieur
75 — Paris-6e
téléphone : 783.46.71

Bureau International de Liaison et de Documentation.
Groupe d'Etudes Allemandes
10, rue Saint-Marc
75 — Paris-2e, téléphone : 488.59.93

Bureau pour le Développement de la Production Agricole (B.D.P.A.)
202, rue de la Croix-Nivert
75 — Paris-15°
téléphone : 533.58.10

C

Cahier des Explorateurs (Publication)
Voir à Société des Explorateurs et des Voyageurs Français

Caisse Centrale de Coopération Economique (C.C.C.E.)
233, boulevard Saint-Germain
75 — Paris-7°
téléphone : 551.41.19

Camping-Club de France
218, boulevard Saint-Germain
75 — Paris-7ᵉ
téléphone : 548.30.03

Caravanes en Afrique (Eclaireurs et Eclaireuses de France)
66, rue de la Chaussée-d'Antin
75 — Paris-9°
téléphone : 874.51.40

Caravanes sans Frontières (Eclaireurs et Eclaireuses de France)
B.P. 140
45 — Orléans
téléphone : 87.88.86

Cartes Michelin
Renseignements particuliers à demander chez : Pneu Michelin, Service de Tourisme
46, avenue de Breteuil
75 — Paris-7°
téléphone : 566.65.00

Cedice
48, rue Laffite
75 — Paris-9°
téléphone : 526.42.40

Central Bureau of Educational Visits and Exchanges
91, Victoria-Street
London S. W. 1
Angleterre

Centre Audio-Visuel de Royan
(Palais des Congrès)
17 — Royan
téléphone : (46) 05.31.08

Centre Chrétien de Formation pour Laïcs au Service des Pays en Voie de Développement (C.F.L.)
5, rue Saint-Léon
67 — Strasbourg
téléphone : 32.51.06

Centre d'Echanges Internationaux
21, rue Béranger
75 — Paris-3°
téléphone : 887.20.94

Centre de Coopération Culturelle et Sociale (C.C.C.S.)
26, rue Notre-Dame-des-Victoires
75 — Paris-2°
téléphone : 231.70.84 à 86

Centres d'Entraînement aux Méthodes d'Education Active C.E.M.E.A.
55, rue Saint-Placide
75 — Paris-6°
téléphone : 222.23.59

Centre de Perfectionnement pour le Développement et la Coopération Economique et Technique (C.P.D.C.E.T.)
66 ter, rue Saint-Didier
75 — Paris-16°
téléphone : 727.40.16

Centre d'Etudes Pratiques
122, rue de Provence
75 — Paris-8°
téléphone : 522.54.73

Centre de Voyages des Jeunes Ruraux (C.V.J.R.)
40, rue La Bruyère
75 — Paris-9°
téléphone : 526.18.00

Centre d'Information et de Documentation Jeunesse (C.I.D.J.)
101, quai Branly
75 — Paris-15°
téléphone : 566.40.20

Centre International de Formation Européenne
6, rue de Trévise
75 — Paris-9°
téléphone : 770.90.72

Centre International de l'Enfance (C.I.E.)
Château de Longchamp — Carrefour de Longchamp
Bois de Boulogne
75 — Paris-16°
téléphone : 506.79.92

Centre International de Recherches et d'Echanges Culturels et Techniques (C.I.R.E.C.T.)
68, rue de la Chaussée-d'Antin
75 — Paris-9°
téléphone : 874.99.11

Centre International des Stages (Ancien nom ASATOM) (C.I.S.)
37 bis, rue Paul-Valéry
75 — Paris-16°
téléphone : 553.47.69

Centre Laïque d'Aviation Populaire (Ligue de l'Enseignement)
3, rue Récamier
75 — Paris-7°
téléphone : 548.88.71

Centre Laïque des Etudes et des Rencontres pour l'Afrique et Madagascar (C.L.F.R.A.M.)
ou Centre Laïque de Coopération extra-scolaire pour l'Afrique et Madagascar
66, rue de la Chaussée-d'Antin
75 — Paris-9°
téléphone : 874.51.40

Centre Laïque de Tourisme Culturel
3 bis, passage de la Petite-Boucherie
75 — Paris-6°
téléphone : 325.27.60

Centres Musicaux Ruraux
Se renseigner à la Fédération des Centres Musicaux de France

Centre National (Français) du Film pour l'Enfance et la Jeunesse
109, rue Notre-Dame-des-Champs
75 — Paris-6°
téléphone : 326.14.88

Cercle Universitaire Connaissance de l'Afrique (C.U.C.A.)
214, boulevard Saint-Germain
75 — Paris-7°
téléphone : 222.15.05

Cetradel-Didasco
2, rue des Italiens
75 — Paris-9°
téléphone : 523.33.33

Chalets Internationaux de Haute Montagne
212, boulevard Saint-Germain
75 — Paris-7°
téléphone : 222.55.16

Chandris Cruises
36 bis, avenue de l'Opéra
75 — Paris-2ᵉ
téléphone : 266.03.24

Chemins de Fer de l'Etat Danois
Voir à Office du Tourisme du Danemark

Cimade
Voir Service Œcuménique d'Entraide

Cité Club Universitaire
2, place Henri-Bergson
75 — Paris-8°
téléphone : 522.04.11 et 75.30

Cleram (Centre Laïque des Etudes et des Rencontres pour l'Afrique et Madagascar)
ou Centre Laïque de Coopération extra-scolaire pour l'Afrique et Madagascar
Voir à Centre Laïque des Etudes et des Rencontres pour l'Afrique et Madagascar

Club Alpin Français et Comité National du Plein Air
7, rue de la Boétie
75 — Paris-8°
téléphone : 265.54.45

Club des Quatre Vents, Echanges et Voyages
1, rue Gozlin
Paris-6°
téléphone : 033.70.25 et 033.92.11

Club du Relais Universitaire
Voir à Relais Universitaire

Club Européen
44, rue du Colisée
75 — Paris-8°
téléphone : 359.80.00

Club Feu Vert pour l'Aventure
Voir à Nouvelles Frontières — Feu Vert pour l'Aventure

Club Industrie et Pays Sous-Equipés
(C.I.P.S.E., S.A.T.E.C.)
110, rue de l'Université
75 — Paris-7°
téléphone : 551.49.79

Club Méditerranée
8, rue de la Bourse
75 — Paris-2°

Club Mer et Soleil
14, rue Lafayette
75 — Paris-9°
téléphone : 523.52.47

C.O.G.E.D.E.P. (Association de Cogestion pour les Déplacements à But Educatif des Jeunes)
4, rue Papillon
75 — Paris-9°
téléphone : 770.71.31 à 33

Collection Petite Planète
En librairie

Collège Coopératif — Ecole Pratique des Hautes Etudes
46, rue Saint-Jacques
75 — Paris-6°
téléphone : 033.83.57

Comité Catholique des Amitiés Françaises dans le Monde
99, rue de Rennes
75 — Paris-6°
téléphone : 222.29.86

Comité d'Accueil
Voir à Comité d'Accueil des Elèves des Ecoles Publiques

Comité d'Accueil Art et Vie
52, rue Hauteville
75 — Paris-10°
téléphone : 824.86.31

Comité d'Accueil des Ecoles Publiques
(ou Comité d'Accueil des Elèves des Ecoles Publiques)
7, rue Quentin-Bauchart
75 — Paris-8°
téléphone : 25.93.19

Comité d'Accueil des Elèves des Ecoles Publiques en Voyages d'Etudes
35, rue Bellechasse
75 — Paris-7°
téléphone : 705.23.95

Comité d'Accueil Enseignement Public
Voir à Comité d'Accueil des Elèves des Ecoles Publiques

Comité de Coordination des Associations d'Echanges Internationaux (Nouveau nom : C.R.I.F.)
Voir adresse à Association de Soutien du Comité pour les Relations Internationales des Associations Françaises de Jeunesse et d'Education Populaire

Comité de Coordination du Service Volontaire International U.N.E.S.C.O. (C.C.S.V.I.)
1, rue Miollis
75 — Paris-15°
téléphone : 734.06.00

Comité des Echanges Internationaux
rue Jean-Jacques-Rousseau
25 — Besançon
téléphone : (81) 83.36.45

Comité Français pour la Campagne Mondiale Contre la Faim (C.F.C.M.C.F.)
22, rue de la Faisanderie
75 — Paris-16°
téléphone : 704.66.80

Comité National des Sentiers de Grandes Randonnées
65, avenue de la Grande-Armée
75 — Paris-16°
téléphone : 727.89.89
poste 222.

Comité Protestant des Colonies de Vacances (C.P.C.V.)
8, impasse de Cloys
75 — Paris-18°
téléphone : 606.07.33

Commission Franco-Américaine d'Echanges Universitaires et Culturels
9, rue Chardin
75 — Paris-16°
téléphone : 870.46.54

Compagnie Générale Transatlantique
10, rue Auber
75 — Paris-9°
téléphone : 742.97.59

Compagnie Internationale de Développement Rural
57, avenue de Neuilly
92 — Neuilly-sur-Seine
téléphone : 637.52.76

Compagnons Bâtisseurs
11, rue Perronet
75 — Paris-7°
téléphone : 222.42.32

Compagnons d'Emmaüs
32, rue des Bourdonnais
75 — Paris-1ᵉʳ
téléphone : 236.43.80

Concordia
27, rue du Pont-Neuf
75 — Paris-1ᵉʳ
téléphone : 231.42.10

Confédération Musicale de France
121, rue Lafayette
75 — Paris-10°
téléphone : 878.39.42

Confédération Nationale de la Famille Rurale
22, boulevard de La-Tour-Maubourg
75 — Paris-7°
téléphone : 551.81.19

Confédération Nationale des Groupes Folkloriques Français
30-32, rue Pétion
75 — Paris-11°
téléphone : 805.68.75

Conseil du Tourisme du Danemark
7, Banegardspladsen 1570
Copenhague V
Danemark

Coopération et Développement (Publication)
9, rue Lincoln
75 — Paris-8°

Costafrance
3, rue Scribe
75 — Paris-9°
téléphone : 742.52.03

Cotravaux (Association de Cogestion pour le Travail Volontaire des Jeunes)
11, rue de Clichy
75 — Paris-9°
téléphone : 874.79.20

Council of International Educational Exchange
49, rue Pierre-Charron
75 — Paris-8°
téléphone : 225.66.00

C.R.I.F. ou C.R.I.J.E.F. (Comité pour les Relations Internationales des Associations Françaises de Jeunesse et d'Education Populaire)
Voir adresse à Association de Soutien du Comité pour les Relations Internationales des Associations Françaises de Jeunesse et d'Education Populaire

Croisières Paquet
5, boulevard Malesherbes
75 — Paris-8°
téléphone : 226.57.59
90, boulevard des Dames
Marseille-2°

Croisières Rodriguez-Ely
10, rue de Rome
75 — Paris-8°
téléphone : 387.61.39
15, rue Beauvau
Marseille-1er
téléphone : 33.68.40

Croissance des Jeunes Nations (Publication)
163, boulevard Malesherbes
75 — Paris-17°
19, rue du Plat
69 — Lyon-2°
téléphone : 37.14.35

Culture et Développement
49, rue de la Glacière
75 — Paris-13e
téléphone : 331.98.91

D

Délégation Catholique pour la Coopération
277, rue Saint-Jacques
75 — Paris-5°
téléphone : 326.12.50

Direction Générale des Affaires Culturelles
Service des Boursiers et des Stagiaires (Service Américain
d'Information et de Relations Culturelles)
2, rue Saint-Florentin
75 — Paris-1er

E

Echanges Internationaux entre Familles Chrétiennes
1, rue Gozlin
75 — Paris-6°
téléphone : 033.92.11

Echanges Scolaires Franco-Allemands
8, rue René-Donnet
21 — Talant

Eclaireuses et Eclaireurs de France
66, rue de la Chaussée-d'Antin
75 — Paris-9°
téléphone : 874.51.40 et 41

Eclaireurs et Eclaireuses de France
Equipes des Relations avec l'Outre-Mer
Caravanes E.R.O.M.
66, rue de la Chaussée-d'Antin
75 — Paris-9°
téléphone : 874.51.40

Eclaireuses et Eclaireurs de France
Service 15-24
62, rue du Petit-Pont
45 — Orléans
téléphone : 87.88.86

Ecole Berlitz
31, boulevard des Italiens
75 — Paris-2°
téléphone : 742.66.60

Economie et humanisme (Publication)
169, rue Saint-Honoré
75 — Paris-1ᵉʳ

Editions Neret
23, rue de Chabrol
75 — Paris-10ᵉ
téléphone : 824.70.79

Education et Echange (Publication)
(Bulletin de liaison du Comité pour les Relations Internationales des Associations Françaises)
26, rue de Cabanis
75 — Paris-14ᵉ
téléphone : 336.04.41

Els Language Center
1620 Belmont Street
Washington (DC 20009)
51 South Bonnie Brae Street
Los Angeles (90057)

Emmaüs
Voir à Compagnons d'Emmaüs

Encounter Overland
B. Rumball, Wren Park
Shefford
téléphone : Chicksands 7470
Bedfordshire
Grande-Bretagne

Encyclopédie par pays (Nagel)
En librairie

English Home Holidays
30, rue Notre-Dame-des-Victoires
75 — Paris-2ᵉ
téléphone : 236.46.80

Equipe Nationale « Jeunes » de Pax Christi
(Pax Christi)
3, rue de l'Abbaye
75 — Paris-6°
téléphone : 326.07.97

E.R.O.M. (Equipes des Relations avec l'Outre-Mer)
Voir à Eclaireurs de France

E.S.T.O. (European Students Travel Organisation)
14, rue Clément-Marot
75 — Paris-8°
téléphone : 225.10.27

Estrine et Cie
18, rue Colbert
13 — Marseille-1°ʳ

Etudes et Chantiers
63, rue de Sèvres
75 — Paris-6°
téléphone : 222.32.23

Etudes Vacances
44, rue de Grenelle
75 — Paris-7°
téléphone : 548.73.75

Europa
46, rue de Rivoli
75 — Paris-4°
téléphone : 272.21.21

Europe Assistance
1, rue de la Tour-des-Dames
75 — Paris-9°
téléphone : 944.73.19

Experiment in International Living
39, avenue de l'Agent-Sarre
92 — Colombes
89, rue de Turbigo
75 — Paris-4°
téléphone : 272.50.03

F

Faim et Développement (C.C.F.D.) (Publications)
27, rue Guénégaud
75 — Paris-6°
téléphone : 633.39.90

Faim et Soif (Publications)
6, rue du Faubourg-Poissonnière
75 — Paris-10°

Fédération des Centres Musicaux Ruraux de France
34, rue d'Hauteville
75 — Paris-10°
téléphone : 523.12.73

Fédération des Colonies de Vacances Familiales (F.C.V.F.)
20, rue Saint-Lazare
75 — Paris-9°
téléphone : 285.46.78

Fédération des Œuvres Educatives et de Vacances de l'Education Nationale
94, rue Barrault
75 — Paris-13°
téléphone : 588.62.77

Fédération des Œuvres Laïques
12, rue de la Victoire
75 — Paris-9°

Fédération Française de Camping et de Caravaning
78, rue de Rivoli
75 — Paris-4°
téléphone : 272.84.08

Fédération Française de Canoë-Kayak
87, quai de la Marne
94 — Joinville
téléphone : 873.79.25

Fédération Française de Cyclotourisme
66, rue René-Boulanger
75 — Paris-10°
téléphone : 208.81.79

Fédération Française de la Montagne
7, rue de la Boétie
75 — Paris-8°
téléphone : 265.54.45

Fédération Française des Ciné-Clubs
6, rue Ordener
75 — Paris-18°
téléphone : 206.96.08

Fédération Française des Clubs de Cinéma Amateurs
54, rue de Rome
75 — Paris-8°
téléphone : 387.24.93

Fédération Française des Clubs U.N.E.S.C.O.
10, rue Berthollet
75 — Paris-5°
téléphone : 587.20.91

Fédération Française des Clubs U.N.E.S.C.O.
Centre International de Documentation, Département Diffusion des Documents
89 — Avallon

Fédération Française des Eclaireuses et Eclaireurs Unionistes de France
15, rue Klock
92 — Clichy
téléphone : 270.62.06

Fédération Française des Maisons des Jeunes et de la Culture (Jeunesse et Culture et Bureau d'Accueil et de Rencontres)
54, boulevard des Batignolles
75 — Paris-17ᵉ
téléphone : 387.66.83

Fédération Française de Spéléologie
130, rue Saint-Maur
75 — Paris-11ᵉ
téléphone : 357.56.54

Fédération Française des Villes Jumelées
7, rue des Bouleaux
52 — Chaumont, téléphone : 13.00

Fédération Française d'Etudes et de Sports Sous-Marins
24, quai de Rive-Neuve
13 — Marseille
téléphone : 33.39.96

Délégation parisienne
34, rue du Colisée
75 — Paris-8ᵉ
téléphone : 359.22.15

Fédération Française de Yachting à Voile
70, rue Saint-Lazare
75 — Paris-9ᵉ
téléphone : 526.00.30

Fédération Mondiale des Villes Jumelées (F.M.V.J.)
273, rue Saint-Jacques
75 — Paris-5ᵉ
téléphone : 633.38.15

Fédération Nationale Aéronautique
29, rue de Sèvres
75 — Paris-6ᵉ
téléphone : 544.04.78

Fédération Nationale des Clubs de Loisirs Léo Lagrange
21, rue de Provence
75 — Paris-9°
téléphone : 824.63.01

Fédération Nationale des Clubs Scientifiques
Palais de la Découverte
Avenue Franklin-Roosevelt
75 — Paris-8°
téléphone : 225.17.24

**Fédération Nationale des Syndicats d'Initiatives et Offices
du Tourisme**
127, Champs-Elysées
75 — Paris-8°
téléphone : 720.43.06

Fédération Sportive et Culturelle de France
5, rue Cernuschi
75 — Paris-17°
téléphone : 924.31.12

Fédération Sportive et Gymnique du Travail
24, rue Yves-Toudic
75 — Paris-10°
téléphone : 205.43.60

Fédération Unie des Auberges de Jeunesse
11 bis, rue de Milan
75 — Paris-9°
téléphone: 874.66.78

Fondation « J »
52, rue de Clichy
75 — Paris-9°
téléphone : 874.99.90

Fondation Nationale des Bourses Zellidja
26, rue Geoffroy-L'Asnier
75 — Paris-4°
téléphone : 272.29.49

Francs et Franches Camarades
66, rue de la Chaussée-d'Antin
75 — Paris-9°
téléphone : 874.59.89

Fraternités Terre Nouvelle
12, rue du 11-Novembre
92 — Clichy

Frères des Hommes
11, rue de Savoie
75 — Paris-6°
téléphone : 633.12.96

G

Groupement des Campeurs Universitaires
2, rue Le-Chapelais
75 — Paris-17°
téléphone : 387.17.05

Guides Bleus
En librairie
ou Guides Bleus — Librairie Hachette
B.P. 513
75 — Paris-15°

Guide de l'Automobile Club
Voir à Automobile Club de France

Guide de Poche, Voyage Marcus
En librairie

Guide des Vacances à l'Etranger pour les Jeunes
Voir à Editions Neret

Guide du Séjour au pair en Grande-Bretagne
Voir à Editions Neret

Guide Fodor
En librairie

Guide Nagel
En librairie

Guides verts Michelin
En librairie

H

Havas Jeunes
26, avenue de l'Opéra
75 — Paris-1ᵉʳ
téléphone : 073.56.41

Hellenic Mediterranean Lines
13, rue Auber
75 — Paris-9ᵉ
téléphone : 073.15.15

Home and Travel Association
32, rue Washington
75 — Paris-8ᵉ
téléphone : 359.11.40

Hotelplan
4, rue Quentin-Bauchart
75 — Paris-8ᵉ
téléphone : 225.31.80

I

Infor-Jeunes
110, rue Général-Leman
1040 — Bruxelles
Belgique

Information Touristique, Le Monde
Librairie Larousse
Voir à Larousse

Institut d'Elevage et de Médecine Vétérinaire des Pays Tropicaux (I.E.M.V.T.)
10, rue Pierre-Curie
94 — Maisons-Alfort
Téléphone : 368.88.73

Institut de Recherche et d'Application des Méthodes de Développement (I.R.A.M.)
49, rue de la Glacière
75 — Paris-13°
téléphone : 336.03.62

Institut des Langues de Besançon
30, rue Megevan
25 — Besançon
téléphone : (81) 83.61.67

Institute of Modern Languages
2125 S. Street
NW Washington (DC 20008)
téléphone : 265.86.86

Institut International de Recherche et de Formation en vue du Développement Harmonisé (I.R.F.E.D.)
47, rue de la Glacière
75 — Paris-13°
téléphone : 331.98.91

Institut Pasteur
28, rue du Docteur-Roux
75 — Paris-15°
téléphone : 566.58.00

Institut National de Recherches et de Documentation Pédagogiques
29, rue d'Ulm
75 — Paris-5°
téléphone : 326.36.92

Inter-Echanges
48, rue Albert-Thomas
75 — Paris-10°
téléphone : 205.31.95

International Center of Language Studies
1346 Connecticut Avenue NW
Washington (DC 20036)
téléphone : 223.36.20

International Youth Hostel Association (I.Y.H.A.)
Voir à Fédération Unie des Auberges de Jeunesse

Inter-Service Jeunes (O.R.T.F.)
116, avenue du Président-Kennedy
75 — Paris-16°
téléphone : 224.37.37

Intourist
Se renseigner à Office du Tourisme de l'U.R.S.S.
ou à Sputnik, Bureau du Tourisme International de la
Jeunesse
4, Lébiagy
Péréoulox
Moscou

J

Japan Air Lines
75, Champs-Elysées
75 — Paris-8°
téléphone : 225.55.01

Jet Tours
209, bureaux de la colline de Saint-Cloud
92213 Saint-Cloud
téléphone : 602.34.34.

Jetro
50, avenue des Champs-Elysées
75 — Paris-8°
téléphone : 225.35.82

Jeunes Equipes Internationales
96, cours Emile-Zola
69 — Villeurbanne
téléphone : 84.85.21

Jeunes Femmes
8, villa du Parc-Montsouris
75 — Paris-14°
téléphone : 707.89.69

Jeunesse et Marine
10, rue de Constantinople
75 — Paris-5°
téléphone : 522.58.38
et 222, Faubourg-Saint-Honoré
75 — Paris-8°

Jeunesse et Reconstruction
10, rue de Trévise
75 — Paris-9°
téléphone : 770.15.88

Jeunesse Oblige
35, rue Bergère
75 — Paris-9°

Jeunes Travailleurs en Service Copainville
(J.T.S.)
10 — Troyes
téléphone : 43.52.53

K

Kodak-Pathé S.A.
Service Relations Amateurs
37-39, avenue Montaigne
75384 — Paris-Cedex 08
téléphone : 256.88.11

L

La Grande-Bretagne accueille les Jeunes (Publication)
Voir à Central Bureau of Educational Visits and Exchanges

La Montagne (Revue)
Voir adresse à Club Alpin Français

Larousse, Librairie Larousse
17, rue de Montparnasse
114, boulevard Raspail
75 — Paris-6°

Le Cid (Publication)
22, cours Albert-I°'
75 — Paris-8°

Le Courrier de l'U.N.E.S.C.O. (Publication)
9, place Fontenoy
75 — Paris-7°

Le Mois en Afrique (Publication)
17, rue de la Banque
75 — Paris-2°

Le Voyage en Grèce
4, rue de l'Echelle
75 — Paris-1°'
téléphone : 073.74.93

Librairie Orientale Geuthner
12, rue Vavin
75 — Paris-6°
téléphone : 326.58.62

Librairie U.N.E.S.C.O.
place de Fontenoy
75 — Paris-7°

Lignes Maritimes Turques
Voir à Office du Tourisme de la Turquie

Ligue d'Amitié Internationale
(International Friendship League)
54, boulevard de Vaugirard
75 — Paris-15°
téléphone : 734.96.29

Ligue de Langues Vivantes
11, rue Vernier
75 — Paris-17°
téléphone : 380.73.38

Ligue Française de l'Enseignement et de l'Education Permanente (plus Service Vacances)
3, rue Récamier
75 — Paris-7°
téléphone : 222.73.50

Ligue Française pour les Auberges de la Jeunesse
38, boulevard Raspail
75 — Paris-7°
téléphone : 548.69.84

Ligue Maritime et d'Outre-Mer
70, rue Saint-Lazare
75 — Paris-9°
téléphone : 744.37.90

M

Maison des Jeunes et de la Culture Robert Martin
87, avenue Adolphe-Figuet
26 — Romans
téléphone : 02.10.30

Maison Européenne de la Jeunesse
21, rue de Provence
75 — Paris-9°
téléphone : 246.50.39

Maisons Internationales de la Jeunesse et des Etudiants
11, rue Fauconnier
75 — Paris-4°
téléphone : 272.91.12

Maison Internationale des Jeunes
4, rue Titon
75 — Paris-11°
téléphone : 700.99.21

Messageries Maritimes
12, boulevard de la Madeleine
75 — Paris-8°
téléphone : 073.07.60

Météorologie Nationale
1, quai Branly
75 — Paris-7°
Service de renseignements
téléphone : 705.40.70

Méthode Assimil
En librairie
ou écrire à
Assimil
5, rue Saint-Augustin
75 — Paris-2°
téléphone : 742.48.36

Métropole Tours S.A.
116 bis, avenue des Champs-Elysées
75 — Paris
téléphone : 359.72.54.

M.I.J.A.R.C.
(Mouvement International de la Jeunesse Agricole et
Rurale Chrétienne
Voir adresse à Mouvement Rural de la Jeunesse Chrétienne

Ministère chargé des Départements et Territoires Français d'Outre-Mer, Cabinet militaire, Aide technique
27, rue Oudinot
75 — Paris-7°

Ministère des Affaires Etrangères
Bureau des appelés du contingent du service de la Coopération. Section recrutement
60, boulevard Gouvion-Saint-Cyr
75 — Paris-17°

Ministère de l'Education Nationale
Direction de la Coopération avec la Communauté et l'Etranger
Sous-direction du personnel — Bureau de recrutement
(chargé de la prospection des candidatures)
55, rue Saint-Dominique
75 — Paris-7°

Moulin des Apprentis
23 — Bonnat
téléphone : 5 à Bonnat

Mouvement Chrétien pour la Paix (M.C.P.)
46, rue de Vaugirard
75 — Paris-6°
téléphone : 325.49.70

Mouvement de l'Enfance Ouvrière (M.E.O.)
21, rue de Provence
75 — Paris-9°
téléphone : 824.63.01

Mouvement International de Jeunesse Agricole et Rurale Chrétienne (M.I.J.A.C. — M.R.J.C.)
42, rue La Bruyère
75 — Paris-9°
téléphone : 526.18.00

Mouvement Rural de Jeunesse Chrétienne (M.R.J.C.)
40-42, rue La Bruyère
75 — Paris-9°
téléphone : 526.18.00
(masculin)

49, rue La Bruyère
75 — Paris-9°
téléphone : 526.18.00
(féminin)

N

Nordisk Voyages
125, avenue des Champs-Elysées
75 — Paris-8°
téléphone : 720.22.40

Nouvelles Frontières, Section Tiers Monde et Feu Vert pour l'Aventure et Centre de Préparation aux Voyages
63, avenue Denfert-Rochereau
75 — Paris-14°
téléphone : 325.57.51

O

O.C.C.A.J. (Organisation Centrale des Camps et Activités de Jeunesse) — Tourisme Populaire
Section Echanges Internationaux
20, boulevard Poissonnière
75 — Paris-9°
téléphone : 770.23.69

Office Central pour la Coopération Culturelle Internationale
3, rue Récamier
75 — Paris-7°
téléphone : 548.88.71

Office de la Recherche Scientifique Outre-Mer (O.R.S.T.O.M.)
24, rue Bayard
75 — Paris-8°
téléphone : 225.31.52

Office du Tourisme

Afrique du Sud
104, rue de Richelieu
75 — Paris-2°
téléphone : 742.18.71

Albanie
Voir Ambassade de l'Albanie

Algérie
28, avenue de l'Opéra
75 — Paris-2°
téléphone : 073.79.40

Allemagne de l'Ouest
4, place de l'Opéra
75 — Paris-2°
téléphone : 073.08.08

Autriche
12, rue Auber
75 — Paris-9°
téléphone : 073.93.82

Belgique
21, boulevard des Capucines
75 — Paris-2°
téléphone : 073.44.50

Brésil
Se renseigner à l'Ambassade du Brésil

Bulgarie
45, avenue de l'Opéra
75 — Paris-2°
téléphone : 073.31.22

Balkentourist
1, place Lénine
Sofia
téléphone : 7.75.74

Canada
4, rue Scribe
75 — Paris-9°
téléphone : 742.22.50

Danemark
142, avenue des Champs-Elysées
75 — Paris-8°
téléphone : 225.17.02

Espagne
29, avenue George-V
75 — Paris-8°
téléphone : 225.14.61

Etats-Unis
123, avenue du Général-de-Gaulle
92 — Neuilly

Finlande
13, rue Auber
75 — Paris-9°
téléphone : 073.96.27

Grande-Bretagne
6, place Vendôme
75 — Paris-1er
téléphone : 260.34.50

Grèce
3, avenue de l'Opéra
75 — Paris-1er
téléphone : 260.65.34

Hongrie
Transatour
3, rue Scribe
75 — Paris-9°
téléphone : OPE 77.85

Bureau International pour le Tourisme des Jeunes
Benezur Utca
34, Budapest vVI

Inde
8, boulevard de la Madeleine
75 — Paris-9°
téléphone : 073.00.84

Iran
5, rue Fortuny
75 — Paris-17°
téléphone : 227.82.90

Irlande
1, rue Auber
75 — Paris-9°
téléphone : 073.29.67

Israël
14, rue de la Paix
75 — Paris-2°
téléphone : 742.43.13

Italie
23, rue de la Paix
75 — Paris-2°
téléphone : 073.09.64

Japon
8, rue de Richelieu
75 — Paris-1°
téléphone : 742.20.19

Office Franco-Japonais
114, quai Louis-Blériot
75 — Paris-16°
téléphone : 288.52.43

Liban
124, rue du Faubourg-Saint-Honoré
75 — Paris-8°
téléphone : 359.10.36

Luxembourg
21, boulevard des Capucines
75 — Paris-2°
téléphone : 742.90.56

Maroc
21, rue des Pyramides
75 — Paris-1ᵉʳ
téléphone : 260.63.50

Mexique
17, avenue Matignon
75 — Paris-2°
téléphone : 225.12.67

Norvège
10, rue Auber
75 — Paris-9°
téléphone : 073.24.30

Pays-Bas
91, rue de Richelieu
75 — Paris-2°
téléphone : 073.87.50

Pérou
50, avenue Kléber
75 — Paris-16°
téléphone : 704.35.97

9

Pologne
18, rue Louis-le-Grand
75 — Paris-2°
téléphone : 742.05.60

Juventur, Bureau de Tourisme de la Jeunesse
AL Roz 2
Varsovie - 61

Portugal
7, rue Scribe
75 — Paris-9°
téléphone : 073.44.71

République Arabe Unie
56, avenue d'Iéna
75 — Paris-16°
téléphone : 727.53.03

République Centrafricaine
Office Inter-Etats du Tourisme Africain
14, avenue Matignon
75 — Paris-8°
téléphone : 359.94.90

Roumanie
1, rue Daunou
75 — Paris-2°
téléphone : 742.31.32

Suède
125, avenue des Champs-Elysées
75 — Paris-8°
téléphone : 720.20.90

Suisse
11 bis, rue Scribe
75 — Paris-9°
téléphone : 073.01.64

Tchécoslovaquie
32, avenue de l'Opéra
75 — Paris-2°
téléphone : 742.38.45

Agence Cedok : CF Office du Tourisme

Bureau de Voyages de la Jeunesse et des Etudiants Tché-
coslovaques
Zitna 12
Prague-2

Tunisie
102, avenue des Champs-Elysées
75 — Paris-8°
téléphone : 256.01.61

Turquie
102, avenue des Champs-Elysées
75 — Paris-8°
téléphone : 225.78.68

U.R.S.S.
10, rue de Sèze
75 — Paris-9°
téléphone : RIC 47.40

Sputnik :
Bureau de Tourisme International de la Jeunesse
4, Lébiagy Péréoulox
Moscou

Yougoslavie
34, rue Louis-le-Grand
75 — Paris-2°
téléphone : 292.10.59

Bureau de Voyages des Jeunes et des Etudiants de Yougoslavie
rue Mose-Pijade 12/1
Belgrade

Office Franco-Allemand pour la Jeunesse (O.F.A.J.)
143, boulevard de la Reine
78 — Versailles
téléphone : 950.50.97

Office Franco-Britannique
Se renseigner au Service départemental de la Jeunesse, des Sports et des Loisirs

Office Franco-Québecois
5, rue Logelbach
75 — Paris-17e
téléphone : 924.21.90

Office National des Universités et Ecoles Françaises
96, boulevard Raspail
75 — Paris-6°
téléphone : 222.50.20

Organisation des Vacances Scolaires à l'Etranger (O.V.S.E.)
29, rue Jean-Jacques-Rousseau
75 — Paris-1er
téléphone : 236.36.66

Organisation Internationale de Coopération Médicale Branche Française
Medicus Mundi
14, rue d'Assas
75 — Paris-6°
téléphone : 548.65.47

Organisation Internationale d'Echanges Culturels
28, rue de la Trémoille
75 — Paris-8°
téléphone : 255.04.04

Organisation Scolaire Franco-Américaine
43, rue de Provence
75 — Paris-9°
téléphone : 744.63.49

Organisation Scolaire Franco-(Britannique-Germanique)
43, rue de Provence
75 — Paris-9°
téléphone : 744.63.49

Organisation Scolaire Franco-Espagnole
43, rue de Provence
75 — Paris-9°
téléphone : 744.63.49

O.T.U.S. (Office du Tourisme Universitaire et Scolaire)
137, boulevard Saint-Michel
75 — Paris-5°
téléphone : 326.60.97

P

Partir (Revue)
18, rue du Faubourg-Poissonnière
75 — Paris-10e
téléphone : 770.46.75

Pas à pas (Publication)
Voir à Fédération Française des Maisons des Jeunes et de
la Culture

Payscope
6, rue de la Paix
75 — Paris-2e
téléphone : 073.30.11

Peuple et Culture
27, rue Cassette
75 — Paris-6°
téléphone : 222.30.56

Peuple et Culture
2, rue Saint-Martin
38 — Grenoble

Point H
40, rue La Bruyère
75 — Paris-9ᵉ
téléphone : 526.18.00

Présence Africaine (Editions)
25 bis, rue des Ecoles
75 — Paris-5ᵉ

Promotion Féminine et Développement (P.F.D.)
49, avenue Foch
94 — Fontenay-sous-Bois
téléphone : 873.56.69

Q

Que faire pour le Tiers Monde (Brochure)
Voir adresse au Bureau d'Information sur la Coopération

Quinze Clubs
13, rue de Laborde
75 — Paris-8ᵉ
téléphone : 387.25.30

R

Relais Universitaires
7, rue de Constantinople
75 — Paris-8ᵉ
téléphone : 387.01.31

Relations Internationales
10, rue Saint-Lazare
75 — Paris-9ᵉ
téléphone : 874.93.65

Renault (Elysées)
Direction des relations extérieures
53, avenue des Champs-Elysées
75 — Paris-8ᵉ
téléphone : 359.99.59

Rencontres de Jeunes
39, rue de Châteaudun
75 — Paris-9ᵉ
téléphone : 874.89.28

Revue économique L'Expansion
10, rue Lyautey
75 — Paris-16ᵉ
téléphone : 525.21.65

Revue Géographia
En librairie

Royal Air Maroc
34, avenue de l'Opéra
75 — Paris-2ᵉ
téléphone : 742.10.36

Ruys & Co.
13, rue Auber
75 — Paris-9ᵉ
téléphone : 073.15.15

S

Société centrale pour l'équipement du Territoire-Coopération (SCET COOP)
4, place Raoul-Dautry — Maine-Montparnasse
75 — Paris-15ᵉ
téléphone : 566.78.34

S.C.I. (Service Civil International) (ou Amis du Service Civil International)
129, rue du Faubourg-Poissonnière
75 — Paris-9ᵉ
téléphone : 874.60.15

Sciences et Voyages (Publication)
6 à 12, rue de Bellevue
75 — Paris-19ᵉ
téléphone : 202.58.30

Scouts de France
10, rue de Dantzig
75 — Paris-15°
téléphone : 532.31.69

Scouts de France, Opération W
6, rue de l'Abbé-Groult
75 — Paris-9°
téléphone : 824.63.01

Scouts de France, Service Tiers Monde (S.D.F.)
125, boulevard Saint-Denis
92 — Courbevoie
téléphone : 788.20.40

**Secrétariat des Missions d'Urbanisme et d'Habitat
(S.M.U.H.)**
11, rue Chardin
75 — Paris-16°
téléphone : 870.23.86

Secrétariat d'Etat à la Jeunesse, aux Sports et aux Loisirs
34, rue de Châteaudun
75 — Paris-9°
téléphone : 285.40.75

Sécurité Sociale
69 bis, rue de Dunkerque
75 — Paris-9°
(renseignements) téléphone : 526.77.19

Séjours Educatifs et Culturels en Angleterre
36, rue Madeleine-Michelis
92-Neuilly
téléphone : 637.34.14

Séjours Educatifs et Culturels pour les Jeunes
20, rue du Cirque
75 — Paris-8°
téléphone : 359.39.78

Services Américains d'Information et de Relations Culturelles
2, rue Saint-Florentin
75 — Paris-1ᵉʳ
téléphone : 265.74.00

Service de Jaugeage Maritime
71, boulevard Pereire
75 — Paris-17ᵉ

Service de la Correspondance Internationale
Institut Pédagogique National
29, rue d'Ulm
75 — Paris-5ᵉ
téléphone : 033.76.50

Service de la Formation Aéronautique
155, rue de la Croix-Nivert
75 — Paris-15ᵉ
téléphone : 828.34.20

Services départementaux de la Jeunesse, des Sports et des Loisirs :

01 — *Ain*
Préfecture
Bourg
téléphone : 21.22.21

02 — Aisne
Cité Administrative
Laon
téléphone : 23.26.88

03 — *Allier*
Château-de-Bellevue
Yseure-par-Moulins
téléphone : 44.01.32

04 — *Alpes de Haute-Provence*
1, rue du Docteur-Honorat
Digne
téléphone : 10.70

05 — *Hautes-Alpes*
Inspection Académique
avenue du Maréchal-Foch
Gap
téléphone : 27.51

06 — *Alpes-Maritimes*
Elysée Palace
117, rue de France
Nice
téléphone : 87.54.32

07 — *Ardèche*
15, cours Saint-Louis
Privas
téléphone : 5.10, 5.11

08 — *Ardennes*
Inspection Académique, Préfecture
place Lucien-Hébert
Mézières
téléphone : 32.43.16

09 — *Ariège*
12, place Dutilh
Foix
téléphone : 925

10 — *Aube*
Ancien Evéché
Troyes
téléphone : 43.10.65

11 — *Aude*
Cité Administrative
1, rue Trivalle
Carcassonne
téléphone : 25.22.00

12 — *Aveyron*
11, rue Louis-Oustry
Rodez
téléphone : 68.10.83

13 — *Bouches-du-Rhône*
66, rue Saint-Sébastien
Marseille-6ᵉ
téléphone : 37.41.00

14 — *Calvados*
23, rue Paul-Doumer
Caen
téléphone : 81.56.83

15 — *Cantal*
Cité Administrative
place de la Paix
Aurillac
téléphone : 48.00.15

16 — *Charente*
19, rue d'Iéna
Angoulême
téléphone : 95.39.39

17 — *Charente-Maritime*
rue Léonce-Mailho
La Rochelle
téléphone : 34-02.71

18 — *Cher*
9, rue Branly
Bourges
téléphone : 24.14.60

19 — *Corrèze*
Cité Administrative
place du Champ-de-Mars
Tulle
téléphone : 26.20.24

20 — *Corse*
Résidence Triana
15, avenue du Colonel-Colonna-d'Ornano
Ajaccio
téléphone : 21.47.42

21 — *Côte-D'Or*
33, rue d'Alger
Dijon
téléphone : 30.80.06

22 — *Côtes-du-Nord*
4, boulevard Charner
Saint-Brieuc
B.P. 32
téléphone : 33.13.88

23 — *Creuse*
Cité Administrative des Augustines
place Bonnyaud
Guéret
téléphone : 56.06.50

24 — *Dordogne*
Cité Administrative
rue Alfred-de-Musset
Périgueux
téléphone : 53.11.42

25 — *Doubs*
Cité Administrative
place J.-Cornet
Besançon
téléphone : 83.28.25

26 — *Drôme*
Quartier Brunet
Valence
téléphone : 43.61.60

27 — *Eure*
Cité Administrative
boulevard G.-Chauvin
Evreux
téléphone : 33.30.70

28 — *Eure-et-Loir*
11, rue du Cardinal-Pie
Chartres
téléphone : 21.40.92

29 — *Finistère*
boulevard de Kerguelen
Quimper
B.P. 57
téléphone : 95.04.25

30 — *Gard*
2, rue Pradier
Nîmes
téléphone : 67.42.91

31 — *Haute-Garonne*
2, boulevard Armand-Duportal
Toulouse
téléphone : 22.25.41

32 — *Gers*
Centre Administratif
rue Boissy-d'Anglas
Auch
téléphone : 05.24.89

33 — *Gironde*
Maison Départementale de la Jeunesse
4, rue d'Aviau
Bordeaux
téléphone : 29.11.68

34 — *Hérault*
2, rue de l'Ecole Mage
Montpellier
téléphone : 72.49.06

35 — *Ille-et-Vilaine*
12, rue Jean-Guy
Rennes
téléphone : 30.49.19

36 — *Indre*
110, rue Grande
Châteauroux
téléphone : 34.39.05

37 — *Indre-et-Loire*
Cité Administrative du Cluzel
61, avenue de Grammont
Tours
téléphone : 05.13.99

38 — *Isère*
Cité Administrative
rue Joseph-Chanrion
Grenoble
téléphone : 44.09.48

39 — *Jura*
Cité Administrative
rue Louis-Rousseau
Lons-le-Saunier
téléphone : 24.39.05

40 — *Landes*
avenue Cronstadt
Mont-de-Marsan
téléphone : 75.24.86

41 — *Loir-et-Cher*
Centre Administratif
34, avenue Maunoury
Blois
téléphone : 78.09.53

42 — *Loire*
2, place Aristide-Briand
Saint-Etienne
téléphone : 32.95.83

43 — *Haute-Loire*
22, rue des Capucins
Le Puy
téléphone : 09.34.67

44 — *Loire-Atlantique*
Cité Administrative
rue du Général-Marguerite
Nantes
téléphone : 74.34.53

45 — *Loiret*
Cité Administrative Coligny
Orléans
téléphone : 87.69.18

46 — *Lot*
Cité Administrative
quai Cavaignac
Cahors
téléphone : 35.19.86

47 — *Lot-et-Garonne*
Cité Administrative Lacuée
Agen
téléphone : 66.22.68

48 — *Lozère*
Cité Administrative
4, boulevard des Capucins
Mende
téléphone : 920

49 — *Maine-et-Loire*
Cité Administrative
b^t Harcourt
Angers
téléphone : 88.06.15

50 — *Manche*
12, rue de la Chancellerie
Saint-Lô
téléphone : 57.19.88

51 — *Marne*
Cité Administrative Tirlet
Châlons-sur-Marne
téléphone : 68.04.51

52 — *Haute-Marne*
Cité Administrative
B.P. 152
Chaumont
téléphone : 13.00

53 — *Mayenne*
26, rue du Britais
Laval
téléphone : 90.11.81

54 — *Meurthe-et-Moselle*
77, boulevard Lobau
Nancy
téléphone : 24.62.78

55 — *Meuse*
Cité Administrative
Bar-le-Duc
téléphone : 79.06.58

56 — *Morbihan*
14, avenue Winston-Churchill
Vannes
téléphone : 66.23.64

57 — *Moselle*
1, rue Wilson
Metz
téléphone : 68.15.00

58 — *Nièvre*
4, rue des Quatre-Fils-Aymond
Nevers
téléphone : 61.14.59

59 — *Nord*
37, rue Jean-Sans-Peur
Lille
téléphone :   54.78.99

60 — *Oise*
22, avenue Victor-Hugo
Beauvais
téléphone : 445.07.16

61 — *Orne*
Cité Administrative
Place Bonnet
Alençon
téléphone : 26.16.80

62 — *Pas-de-Calais*
Inspection Académique
Arras
boulevard de la Liberté
téléphone : 21.56.25

63 — *Puy-de-Dôme*
Cité Administrative d'Assas
rue Pélissier
Clermont-Ferrand
téléphone : 92.97.11

64 — *Pyrénées-Atlantiques*
3, rue Duplaa
Pau
téléphone : 27.76.67

65 — *Hautes-Pyrénées*
Cité Administrative — Caserne Reffye
Tarbes
téléphone : 93.12.20

66 — *Pyrénées-Orientales*
32, rue du Maréchal-Foch
Perpignan
téléphone : 34.91.81

67 — *Bas-Rhin*
Cité Administrative
rue de l'Hôpital-Militaire
Strasbourg
téléphone : 34.14.63

68 — *Haut-Rhin*
Cité Administrative
3, rue Fleischauer
Colmar
téléphone : 41.48.11

69 — *Rhône*
52, avenue du Maréchal-Foch
Lyon
téléphone : 52.90.92

70 — *Haute-Saône*
Cité Administrative
Vesoul
téléphone : 4.80

71 — *Saône-et-Loire*
Maison de l'Education Nationale
rue de l'Héritan
Mâcon
téléphone : 38.10.90

72 — *Sarthe*
Cité Administrative
34, rue de Chanzy
Le Mans
téléphone : 28.81.00

73 — *Savoie*
11, rue Jean-Pierre-Veyrat
Chambéry
téléphone : 34.10.08

74 — *Haute-Savoie*
rue Dupanloup
Annecy
téléphone : 45.33.70, 45.39.80

11, rue Auber
75 — *Paris-9ᵉ*
téléphone : 073.23.73

76 — *Seine-Maritime*
Cité Administrative Jeanne-d'Arc
boulevard Gambetta
Rouen
téléphone : 70.41.30

77 — *Seine-et-Marne*
Cité Administrative
Pré Chamblain
Melun
téléphone : 437.36.49

78 — *Yvelines*
45, avenue des Etats-Unis
Versailles
téléphone : 950.41.82

79 — *Deux-Sèvres*
16, avenue de Limoges
Niort
téléphone : 24.12.84

80 — *Somme*
Cité Administrative
56, rue Jules-Barni
Amiens
téléphone : 91.53.41

81 — *Tarn*
3, rue du Général-Giraud
Albi
téléphone : 54.04.78

82 — *Tarn-et-Garonne*
1, rue Calvet
Montauban
téléphone : 63.09.95

83 — *Var*
Cité Administrative
place Noël-Blache
Toulon
téléphone : 92.60.78

84 — *Vaucluse*
8, rue Frédéric-Mistral
Avignon
téléphone : 81.51.94

85 — *Vendée*
12, rue Haxo
La Roche-sur-Yon
téléphone 37.02.92

86 — *Vienne*
18 bis, rue de la Tranchée
Poitiers
téléphone : 41.20.37

87 — *Haute-Vienne*
Annexe de la Préfecture
44, cours Gay-Lussac
Limoges
téléphone : 77.77.92

88 — *Vosges*
5, rue Gambetta
Epinal
téléphone : 82.13.04

89 — *Yonne*
11, rue du 4-Septembre
Auxerre
téléphone : 52.04.53

90 — *Territoire de Belfort*
1, rue Strolz
Belfort
téléphone : 28.32.59

91 — *Essonne*
Cité Administrative de Tarterets
Corbeil
téléphone : 496.92.50

92 — *Hauts-de-Seine*
Secteur Nord et Centre : 101, route de l'Empereur
Rueil-Malmaison
téléphone : 967.80.95
Secteur Sud : Sous-Préfecture
Avenue Lebrun
Antony
téléphone : 350.70.50

93 — *Seine-Saint-Denis*
Cité provisoire
avenue Paul-Vaillant-Couturier
Bobigny
téléphone : 844.30.82

94 — *Val-de-Marne*
avenue du Général-de-Gaulle
Créteil
téléphone : 207.25.00

95 — *Val-d'Oise*
Cité Administrative
rue du Général-Schmitz
Pontoise
téléphone : 464.92.00

Service et Développement
31, rue du Plat
69 — Lyon
téléphone : (78) 42.25.66

Service National Coopération des C.E.M.E.A.
17, avenue Dauphine
45 — Orléans
téléphone : 87.86.19

Service Œcuménique d'Entraide (Cimade)
176, rue de Grenelle
Paris-7°
téléphone : 705.93.99

Sports et Tourisme (Assurance)
1, rue Bourdaloue
75 — Paris-9°

Société d'Aide Technique et de Coopération (S.A.T.E.C.)
110, rue de l'Université
75 — Paris-7°
téléphone : 551.49.79

Société des Explorateurs et des Voyageurs Français
16, rue d'Orchampt
75 — Paris-18°
téléphone : 254.40.70

Société des Missions Evangéliques de Paris
102, boulevard Arago
75 — Paris-14°
téléphone : 633.81.39

Société d'Etudes pour le Développement Economique et Social (SEDES)
67, rue de Lille
75 — Paris-7°
téléphone : 555.91.00

Société Française des Ingénieurs d'Outre-Mer (S.O.F.I.O.M.)
11, rue Tronchet
75 — Paris-8°
téléphone : 265.14.65

Sotramat Voyages
10, rue Auber
75 — Paris-9°
téléphone : 742.90.61

Standing Committee of the Travel Information Manual
c/o K.L.M. Royal Dutch Airlines
Tariffs and IATA Department
Amsterdam International Airport (East)
Hollande

T

Terre des Jeunes
3, rue de La-Rochefoucauld
75 — Paris-9°

Terre Entière (Publication)
14, rue Saint-Benoit
75 — Paris-6°
téléphone 260.34.68

Tiers-Monde (Publication)
12, rue Jean-de-Beauvais
75 — Paris-5°

Touring-Club de France
65, avenue de la Grande-Armée
75 — Paris-16°
téléphone : 553.39.59

Tourisme Scolaire
103, avenue de Versailles
75 — Paris-16°
téléphone : 520.44.44

Tourisme Service Information (Publication)
Voir adresse à Fédération Nationale des Syndicats d'initiatives et Offices du Tourisme

Transports et Voyages
8, rue Auber
75 — Paris-9°
téléphone : 742.31.49

Transtours
49, avenue de l'Opéra
75 — Paris-2e
téléphone : 742.47.39

Travel Information Manual (Publication)
Voir à Standing Committee of Travel Information

U

U.N.E.S.C.O.
Service des voyages
9, place de Fontenoy
75 — Paris-7°
téléphone : 566.57.57

Union Culturelle pour les Echanges Internationaux
11, rue Guénégaud
75 — Paris-6e
téléphone : 633.68.50

Union Française des Centres de Vacances (U.F.C.V.)
54, rue du Théâtre
75 — Paris-15°
téléphone : 577.02.20

Union Française des Œuvres des Vacances Laïques
3 bis, passage de la Petite-Boucherie
75 — Paris-6°
téléphone : 326.24.60

**Union Internationale des Organismes Officiels de Tourisme
(U.I.O.O.T.)**
B.P. n° 7
1211 Genève 20
Suisse

Union Laïque des Campeurs Randonneurs
5 bis, rue Martel
75 — Paris-10°
téléphone : 824.42.44

**Union Nationale des Centres Sportifs de Plein Air
(U.C.P.A.)**
62, rue de la Glacière
75 — Paris-13°
téléphone : 336.05.20

**Union Nationale des Groupes Folkloriques pour la
Culture Populaire**
72, rue du Général-Leclerc
94 — Saint-Maurice
téléphone : 368.05.41

**Union Nationale des Maisons Familiales d'Apprentissage
Rural**
5, rue Scribe
75 — Paris-9°
téléphone : 073.30.88

Union Nationale des Maisons Familiales Rurales d'Education et d'Orientation (U.N.M.F.R.E.O.)
59, rue Réaumur
75 — Paris-2°
téléphone : 236.33.90

Union Touristique « Les Amis de la Nature » Groupe France
96, rue Championnet
75 — Paris-18°
téléphone : 606.12.72

United States Travel Service
Cedex 1104
Paris-Brune
téléphone : 359.15.10

V

Vacances d'Adolescentes — Eclaireuses et Eclaireurs de France
B.P. 43
83 — Saint-Raphaël
téléphone : 95.00.85

Vacances d'Adolescents — Eclaireuses et Eclaireurs de France
1, rue de l'Industrie
B.P. 130
74 — Annecy
téléphone : 45.38.00

Vacances 2000
18, avenue de l'Opéra
75 — Paris-1°ᵉʳ
téléphone : 742.70.02

Vacances pour tous (Publication)
Voir Ligue Française de l'Enseignement et de l'Education
Permanente

Vacances Scolaires en Angleterre
51, rue de Bourgogne
75 — Paris-7°
téléphone : 468.82.58

Vacances Studieuses
3, rue du Faubourg-Saint-Honoré
75 — Paris-8°
téléphone : 265.59.25

Vaincre la Faim (F.A.O.) (Publication)
23, rue La Pérouse
75 — Paris-16°

Vie Nouvelle — Section Tiers-Monde
73, rue Sainte-Anne
75 — Paris-2°
téléphone : 742.56.16

Voyages (Suppément à la Publication L'Expansion)
Voir adresse à Revue Economique L'Expansion

Voyages Acto (France)
8, place de la Concorde
75 — Paris-8°
téléphone : 265.65.99

et 65, avenue d'Iéna
75 — Paris-16°
téléphone : 553.18.89

Voyages Bennett
4, rue Scribe
75 — Paris-9°
téléphone : 073.40.07

Voyages Kuoni
33, boulevard Malesherbes
75 — Paris-8ᵉ
téléphone : 265.29.09

Voyages Lasry
16, rue de la Paix
75 — Paris-2ᵉ
téléphone : 073.72.98

W

World Travel
Voir adresse à L'Union Internationale des Organismes
Officiels de Tourisme

Z

Zellidja (Bourses)
Voir à Fondation Nationale des Bourses Zellidja

Table des matières

246

ACHEVÉ D'IMPRIMER SUR LES PRESSES DE
L'IMPRIMERIE AUBIN 86 LIGUGÉ / VIENNE
LE 30 NOVEMBRE 1973

D. L., 4ᵉ trim. 1973. — Edit., 4815. — Impr., 7367.
Imprimé en France